SPONTINI

METODO DI CANTO

a cura di Elisa Morelli

SINGING METHOD
edited by Elisa Morelli

MÉTHODE DE CHANT
éditée par Elisa Morelli

GESANGSSCHULE
herausgegeben von Elisa Morelli

RICORDI

E.R. 2968

SOMMARIO

Stampato in Italia - Printed in Italy

ER 2968
ISMN 979-0-041-82968-5
ISBN 978-88-7592-911-4

CONTENTS

TABLE DES MATIÈRES

INHALT

INTRODUZIONE

Gaspare Spontini (Majolati, oggi Maiolati Spontini, 14 novembre 1774 – *ivi*, 24 gennaio 1851) fu compositore e direttore d'orchestra. La sua carriera si svolse prevalentemente in Francia e in Germania, dove ebbe grande successo con le sue opere: *La vestale, Fernando Cortez, Olimpia, Nurmahal, Agnese di Hohenstaufen*, solo per citarne alcune. Conquistò il favore di Giuseppina Bonaparte e poi quello di Napoleone, e in seguito quello di Federico Guglielmo III. In vita ricevette le massime onorificenze e importanti furono le cariche che gli furono assegnate: direttore del Théâtre de l'Impératrice di Parigi, successivamente Primo Maestro di Cappella presso la corte di Federico Guglielmo III di Prussia, e sovrintendente generale della musica, con il titolo di General Musik Direktor.

Il *Ristretto di Esercizi per bene apprendere la maniera di canto, e lezzioni di portamento, di ornamento, ed espressione* è contenuto in un manoscritto in formato oblungo composto da 40 carte, conservato presso la Bibliothèque nationale de France, con segnatura ms 2522. Viene datato intorno al 1798-1800. Il manoscritto è citato fra le composizioni didattiche di Gaspare Spontini nei più importanti dizionari e biografie.

Spontini, come quasi tutti i compositori dell'epoca, affiancò all'attività di compositore e di direttore d'orchestra quella d'insegnante di canto. Un'attività svolta all'inizio della carriera che, oltre al sostentamento economico, gli consentì di introdursi nell'ambiente elitario della nobiltà parigina. La grande competenza di Spontini sulla tecnica vocale è facilmente riconoscibile nelle lettere riguardanti la scelta dei cantanti per interpretare le opere.

Il manuale fu scritto per un uso pubblico e non privato del compositore, come si può desumere dalle note all'interno del manuale, con le quali si rivolge all'esecutore. Non è da escludere che l'intento di Spontini fosse di pubblicarlo, considerando che la stesura dei metodi di canto da parte degli insegnanti era una prassi dell'epoca.

Le finalità del metodo sono di affrontare le problematiche tipiche dello studio del canto, e possono essere così sintetizzate:

- otto esercizi per la perfetta intonazione e la sicurezza dei salti.
- otto esercizi per la flessibilità,
- tredici esercizi per porgere la voce e l'espressività,
- tre esercizi per gli abbellimenti e le cadenze.

La tradizione vocale a cui Spontini si rifà è senz'altro quella napoletana, il che è attestato dal rimando ai solfeggi e metodi di: Leonardo Leo (San Vito degli Schiavi, ora dei Normanni, Brindisi, 5 agosto 1694 – Napoli, 31 ottobre 1744), prolifico compositore di opere teatrali, serenate, oratori e drammi sacri; fra le opere didattiche scrisse: *Solfeggi, Istitutioni o Regole del Contrappunto* e *Lezioni di Canto fermo*; Giuseppe Aprile, detto Sciroletto o Scirolino (Martina Franca, Taranto, 28 ottobre 1731 – *ivi*, 11 gennaio 1813), sopranista, compositore e insegnante di canto; scrisse vari metodi di solfeggio, il più famoso dei quali fu stampato a Londra con il titolo *The Modern Italian Method of Singing, with a Variety of Progressive Examples and Thirtysix Solfeggi*. Inoltre Spontini rimanda per due volte ai solfeggi di Baldassarre La Barbiera, compositore napoletano, molto meno conosciuto dei precedenti.

NOTE ALL'EDIZIONE MODERNA

L'unica fonte attualmente conosciuta è il manoscritto sopra citato. Si tratta di un manoscritto autografo, non in bella copia, che presenta alcune correzioni. La presente edizione moderna è una fedele riproduzione dell'originale, i limitati interventi che sono stati necessari per rendere il manuale utilizzabile per lo studio del canto sono elencati di seguito:

- è stata unificata la numerazione degli esercizi, perché nell'originale si trovano espressi in numero o in lettere;
- è stata eseguita la trasposizione in chiave di violino delle parti vocali che nell'originale sono in chiave di soprano;
- sono stati sciolti i segni di abbreviazione;
- sono stati utilizzati i segni moderni che indicano gli abbellimenti.

Le correzioni o le integrazioni che sono state apportate vengono ogni volta indicate fra parentesi tonde. I casi più complessi sono i seguenti:

Esercizio ii, battute n. 48-51. Nell'originale le battute della mano destra sono cancellate. Nella trascrizione è fornita una possibilità di accompagnamento.

Esercizio ix, battuta n. 12. Nell'originale al pianoforte troviamo:

Nella trascrizione gli accordi sono stati distribuiti in modo diverso.

Esercizio xvi. Le legature di frase sono state razionalizzate ed estese a tutto l'esercizio.

Esercizio xx, battute 1-3. Nell'originale troviamo:

Esercizio xxxi. Nell'originale l'esercizio è nella tonalità di Fa maggiore e nel corso dell'esercizio il si è sempre bequadro. L'intero esercizio è stato trasportato in Do maggiore.

Elisa Morelli

RINGRAZIAMENTI

Si ringraziano: la Bibliothèque nationale de France per l'autorizzazione alla trascrizione e pubblicazione del manoscritto, la Prof.ssa Bianca Maria Antolini e il Prof. Gianni Fabbrini per le loro competenze messe a disposizione per la miglior realizzazione della trascrizione.

INTRODUCTION

Gaspare Spontini (Majolati, now Maiolati Spontini, 14 November 1774 – *ibid*, 24 January 1851) was a composer and conductor. He worked mainly in France and Germany, where his operas met with great success: *La vestale, Fernando Cortez, Olimpia, Nurmahal* and *Agnese di Hohenstaufen* to name but a few. He was a favourite with Josephine Bonaparte, and hence Napoleon, and later with Frederick William III of Prussia. He received the highest distinctions during his career and was entrusted with some important positions: director of the Théâtre de l'Impératrice in Paris, first kapellmeister at the court of Frederick William III of Prussia and superintendent general of music, with title of General Musik Direktor.

Spontini's *A Compendium of Exercises for the Best Way to Learn Singing and Lessons in Portamento, Embellishment and Expression* [original title: *Ristretto di Esercizi per bene apprendere la maniera di canto, e lezzioni di portamento, di ornamento, ed espressione*] is contained in an oblong shaped manuscript with 40 leaves, kept at the Bibliothèque Nationale de France (call number ms 2522). Written in roughly 1798-1800, the manuscript is listed as one of Gaspare Spontini's teaching compositions in major encyclopaedias and biographies.

Like almost all the other composers of his time, Spontini was a music teacher, as well as being a composer and conductor. He taught music at the start of his musical career: this not only provided him with an income, but also gave him the chance to enter the elite society of the Parisian aristocracy. Spontini's great expertise in vocal technique can easily be seen in his letters discussing which singers to engage for his operas.

This compendium was written for the public and not his private use, as we can deduce from the notes addressed to the singer. We cannot exclude the possibility Spontini might have wished to publish it, given that it was an established practice for music teachers to draft their singing methods.

Spontini's method focuses on dealing with the problems frequently met by pupils and can be summed up as follows:

· eight exercises for perfect intonation and confidence in intervals skipping.
· eight exercises for flexibility,
· thirteen exercises for voice delivery and expression,
· three exercises for embellishment and cadence.

The vocal tradition to which Spontini belongs is undoubtedly the Neapolitan tradition, as proved by his reference to Leonardo Leo's solfeggio and method (San Vito degli Schiavi, now dei Normanni, Brindisi, 5 August 1694 – Naples, 31 October 1744), a prolific composer of operas, serenatas, oratorios and religious plays. His teaching works include *Solfeggi, Institutions or Rules of Counterpoint* and *Lessons in Singing with a Steady Voice* [original title: *Solfeggi, Istitutioni o Regole del Contrappunto* e *Lezioni di Canto fermo*]. Spontini also refers to Giuseppe Aprile, a.k.a. Sciroletto or Scirolino (Martina Franca, Taranto, 28 October 1731 – *ibid*, 11 January 1813), a sopranist, composer and singing teacher who wrote various solfeggio methods, the most famous being published in London with the title *The Modern Italian Method of Singing, with a Variety of Progressive Examples and Thirty-Six Solfeggi*. Spontini also makes two mentions of Baldassarre La Barbiera's solfeggi, a less well-known Neapolitan composer than the formers.

NOTES ON THE MODERN EDITION

Our only available source is the aforementioned manuscript, an autograph manuscript with several corrections. This modern edition is a faithful reproduction of the original. The list below shows where we have intervened to make this manual suitable for the study of singing:

· the numbering of the exercises has been standardised (both numbers and letters were used in the original);
· the vocal parts that in the original were in the soprano key have been transposed to the violin key;
· the abbreviations have been written in full;
· modern symbols have been used for embellishments.

These corrections and additions are always shown in round brackets. The more complex cases are explained below:

Exercise ii, bars 48-51. The right hand bars were deleted in the original. We have provided a possible accompaniment in our transcription.

Exercise ix, bar 12. The original for the piano was:

The chords have been distributed differently in our transcription.

Exercise xvi. The slurs have been rationalised and extended across the whole exercise.

Exercise xx, bars 1-3. The original was:

Exercise xxxi. This exercise was in F major in the original and all the B flats had been altered in B natural. The entire exercise has been transposed to the key of C major.

Elisa Morelli

THANKS

Our sincere thanks to the Bibliothèque Nationale de France for their authorisation to transcribe and publish the manuscript, to Professor Bianca Maria Antolini and Professor Gianni Fabbrini for their expertise and help in perfecting our transcription.

INTRODUCTION

Gaspare Spontini (Majolati, aujourd'hui Maiolati Spontini, 14 novembre 1774 – *ibid.*, 24 janvier 1851) fut compositeur et chef d'orchestre. Sa carrière se déroula principalement en France et en Allemagne, où il remporta un grand succès avec ses opéras : *La vestale, Fernando Cortez, Olympie, Nurmahal, Agnes von Hohenstaufen,* pour n'en citer que quelques-uns. Il conquit les faveurs de Joséphine Bonaparte, puis celles de Napoléon et par la suite celles de Frédéric Guillaume III. Il reçut, de son vivant, les plus grands honneurs et se vit assigner des charges importantes : directeur du Théâtre de l'Impératrice de Paris et, successivement, premier Maître de chapelle à la cour de Frédéric Guillaume III de Prusse et Surintendant général de la musique, avec le titre de General Musik Direktor.

Le *Ristretto di Esercizi per bene apprendere la maniera di canto, e lezzioni di portamento, di ornamento, ed espressione* [*Précis d'Exercices pour bien apprendre la manière de chanter, et leçons de port de voix, d'ornementation et d'expression*] est contenu dans un manuscrit d'un format oblong, constitué de 40 feuillets et conservé à la Bibliothèque nationale de France, sous la cote ms 2522. On le date autour de 1798-1800. Le manuscrit est cité parmi les ouvrages didactiques de Gaspare Spontini dans les principaux dictionnaires et biographies.

Comme presque tous les compositeurs de l'époque, Spontini joignit à son activité de compositeur et de chef d'orchestre celle de maître de chant. Une activité qu'il exerça au début de sa carrière et qui, outre qu'elle lui assurait sa subsistance économique, lui permit de s'introduire dans le milieu élitaire de l'aristocratie parisienne. La grande compétence de Spontini en fait de technique vocale se reconnaît sans peine dans ses lettres concernant le choix des chanteurs destinés à interpréter ses opéras.

Le manuel fut écrit pour un usage public et non pas à l'usage privé du compositeur, comme on peut le déduire des notes dans lesquelles, à l'intérieur du recueil, Spontini s'adresse à l'élève. Il n'est pas à exclure que son intention ait été de le publier, étant donné que la rédaction de méthodes de chant par ceux qui enseignaient la matière était une pratique courante à l'époque.

Les objectifs de la méthode consistent à aborder les problématiques typiques de l'étude du chant et peuvent se résumer comme suit :

· huit exercices pour une intonation parfaite et la maîtrise dans les sauts,
· huit exercices pour la souplesse,
· treize exercices pour la pose de voix et l'expression,
· trois exercices pour les ornements et les cadences.

C'est assurément de la tradition vocale napolitaine que Spontini s'inspire, comme l'atteste le renvoi aux solfèges et aux méthodes de : Leonardo Leo (San Vito degli Schiavi, aujourd'hui dei Normanni, Brindisi, 5 août 1694 – Naples, 31 octobre 1744), compositeur prolifique d'opéras, de sérénades, d'oratorios et de drames sacrés; parmi ses oeuvres didactiques, il écrivit : *Solfeggi, Istitutioni o Regole del Contrappunto* [*Solfèges, Principes ou Règles du Contrepoint*] et *Lezioni di Canto fermo* [*Leçons sur le Cantus firmus*] ; Giuseppe Aprile, dit Sciroletto ou Scirolino (Martina Franca, Tarente, 28 octobre 1731 – *ibid.*, 11 janvier 1813), sopraniste, compositeur et professeur de chant ; il écrivit des solfèges, dont le plus célèbre fut publié à Londres avec le titre *The Modern Italian Method of Singing, with a Variety of Progressive Examples and Thirtysix Solfeggi* [*La Méthode de Chant Italienne Moderne, avec une Variété d'Exemples Progressifs et Trente-Six Solfèges*]. En outre Spontini fait référence par deux fois aux solfèges de Baldassarre La Barbiera, un compositeur napolitain, beaucoup moins renommé que les précédents.

NOTES À L'ÉDITION MODERNE

L'unique source actuellement connue est le manuscrit mentionné ci-dessus. Il s'agit d'un manuscrit autographe, qui n'a pas été mis au net et contient un certain nombre de corrections. La présente édition moderne est une reproduction fidèle de l'original ; les quelques interventions qui ont été nécessaires afin de rendre le manuel utilisable aujourd'hui pour l'étude du chant sont énumérées ci-dessous :

· on a uniformisé la numérotation des exercices, qui sont désignés dans l'original tantôt par des chiffres tantôt par des lettres ;
· on a effectué la transposition en clef de sol des parties vocales, qui dans l'original sont notées en clef de soprano ;
· les notations abrégées ont été développées ;
· on a utilisé les signes modernes pour indiquer les ornements.

Les corrections ou les compléments qui ont été apportés à l'original sont à chaque fois signalés entre parenthèses. Quant aux cas plus complexes, ils sont expliqués ci-dessous :

Exercice ii, mesures 48-51. Dans l'original, les notes de la main droite sont effacées. La transcription fournit une possibilité d'accompagnement.

Exercice ix, mesure 12. Dans l'original, la partie du piano donne :

Dans la transcription, les notes des accords ont été distribuées d'une autre façon.

Exercice xvi. Les liaisons de phrasé ont été rationalisées et étendues à tout l'exercice.

Exercice xx, mesures 1-3. Dans l'original, on trouve :

Exercice xxxi. Dans l'original, l'exercice est noté dans la tonalité de Fa majeur et tous les si bémols y sont altérés par un bécarre. L'exercice a été entièrement transposé en Do majeur.

Elisa Morelli

REMERCIEMENTS

Nous remercions : la Bibliothèque nationale de France pour l'autorisation à la transcription et à la publication du manuscrit, ainsi que les Prs. Bianca Maria Antolini et Gianni Fabbrini pour avoir mis à disposition leurs compétences afin de parfaire la réalisation de la transcription.

EINLEITUNG

Gaspare Spontini (geb. 14. November 1774 in Majolati, heute Maiolati Spontini – gest. 24. Januar 1851 ebendort) war Komponist und Dirigent. Er machte vor allem in Frankreich und Deutschland Karriere, wo er großen Erfolg mit seinen Opern hatte, etwa mit *La vestale, Fernando Cortez, Olimpia, Nurmahal* und *Agnese di Hohenstaufen,* um nur einige zu nennen. Er erwarb sich zunächst die Gunst von Joséphine Beauharnais, dann die Napoleons, schließlich auch die von Friedrich Wilhelm III. von Preußen. Schon zu Lebzeiten erhielt er die höchsten Auszeichnungen und wurde mit bedeutenden Posten betraut. So war er Direktor des Théâtre de l'Impératrice in Paris, an die Königliche Oper in Berlin berief ihn Friedrich Wilhelm III. als Erster Kapellmeister und Generalmusikdirektor sowie als Generaloberintendant der kgl. Musik.

Sein *Ristretto di Esercizi per bene apprendere la maniera di canto, e lezzioni di portamento, di ornamento, ed espressione* [*Abriss von Übungen für das gute Erlernen des Gesangs und Lektionen in Portamento, Verzierung und Ausdruck*] ist in einem Manuskript enthalten, das aus 40 länglichen Blättern besteht und unter der Signatur ms 2522 in der Bibliothèque nationale de France liegt. Es ist in die Jahre 1798-1800 zu datieren. In den wichtigsten Lexika und Spontini-Biographien wird das Manuskript unter den didaktischen Kompositionen aufgeführt.

Wie fast alle Komponisten dieser Zeit verband auch Spontini seine Arbeit als Komponist und Dirigent mit der des Gesangslehrers. Als solcher war er vor allem zu Beginn seiner Karriere tätig. Das trug nicht nur zu seinem Lebensunterhalt bei, sondern öffnete ihm auch den Zugang zu den elitären Kreisen des Pariser Adels. Wie kompetent Spontini in der Vokaltechnik war, ist auch gut in seinen Briefen zu erkennen, wenn es darin um Sängerbesetzungen für die Oper geht.

Das Lehrbuch wurde für den allgemeinen Gebrauch geschrieben und war nicht dem privaten Gebrauch des Komponisten vorbehalten, was sich aus den Eintragungen schließen lässt, mit denen er sich darin an den Ausführenden wendet. Es ist nicht auszuschließen, dass Spontini vorhatte, es zu publizieren, wenn man bedenkt, dass die Abfassung von Gesangslehren durch Lehrer zu seiner Zeit eine weit verbreitete Praxis war.

Der Zweck der Gesangsschule ist es, die typischen Probleme des Gesangsunterrichts zu behandeln. Sie können wie folgt zusammengefasst werden:

- acht Übungen für perfekte Intonation und Sicherheit bei Intervallen
- acht Übungen für die Geschmeidigkeit der Stimme
- dreizehn Übungen für Stimmansatz und Ausdruck
- drei Übungen für Verzierungen und Kadenzen.

Die Gesangstradition, auf die Spontini sich bezieht, ist zweifellos die neapolitanische, was auch die Verweise auf die Solfeggi und Schulen anderer Autoren zeigen, so auf Leonardo Leo (geb. 5. August 1694 in San Vito degli Schiavi, heute dei Normanni, Brindisi, – gest. 31. Oktober 1744 in Neapel), der als Komponist ein umfangreiches Œuvre vorgelegt hat: Opern, Serenaden, Oratorien und „drammi sacri" (geistliche Dramen), der aber auch didaktische Werke schrieb, etwa die *Solfeggi, Istitutioni o Regole del Contrappunto* [*Solfeggi, Grundlagen oder Regeln des Kontrapunkts*] und die *Lezioni di Canto fermo* [*Lektionen über den Cantus firmus*]. Ein weiterer Hinweis gilt Giuseppe Aprile, genannt Sciroletto oder Scirolino (geb. 28. Oktober 1731 in Martina Franca, Taranto – gest. 11. Januar 1813 ebendort), der Sopranist, Komponist und Gesangslehrer war. Er verfasste Solfeggi und publizierte z.B. *The Modern Italian Method of Singing, with a Variety of Progressive Examples and Thirtysix Solfeggi* [*Moderne italienische Gesangsmethode, mit einer Vielzahl von fortlaufenden Beispielen und sechsundreißig Solfeggi*]. Darüber hinaus verweist Spontini zweimal auf die Solfeggi des neapolitanischen Komponisten Baldassarre La Barbiera, der sehr viel weniger bekannt ist als die beiden anderen.

BEMERKUNGEN ZUR MODERNEN AUSGABE

Die einzige derzeit bekannte Quelle ist das bereits oben genannte Manuskript. Es handelt sich nicht um eine Abschrift, sondern um ein autographes Manuskript, das nicht besonders sorgfältig geschrieben ist und einige Korrekturen aufweist. Die hier vorgelegte Edition ist eine exakte Reproduktion des Originals. Bei den wenigen Eingriffen, die erforderlich waren, um die Schule für den Gesangsunterricht nutzbar zu machen, handelt es sich um folgende:

- Die Nummerierung der Übungen wurde vereinheitlicht, weil sich im Original sowohl Zahlen als auch Buchstaben finden
- die im Original im Sopranschlüssel stehenden Teile der Gesangspartie wurden in den Violinschlüssel transponiert
- alle Zeichen für Abkürzungen wurden aufgelöst
- für Verzierungen werden die modernen Zeichen benutzt.

Die ausgeführten Korrekturen oder Ergänzungen werden jeweils in runden Klammern angezeigt. Im folgenden die Erklärungen für die komplexeren Fälle:

Übung ii, Takt 48-51: Im Original sind die Takte der rechten Hand ausgestrichen. Die Transkription macht für die Begleitung einen Vorschlag.

Übung ix, Takt 12: Im Original finden wir im Klavierpart:

In der Transkription wurden die Akkorde auf andere Weise verteilt.

Übung xvi: Die Bindebögen wurden zusammengefasst und auf die gesamte Übung ausgedehnt.

Übung xx, Takt 1-3: Im Original lautet die Stelle wie folgt:

Übung xxxi: Im Original steht die Übung in F-Dur, alle "♭" sind durch ein Auflösungszeichen geändert. Die gesamte Übung wurde nach C-Dur transponiert.

Elisa Morelli

DANKSAGUNG

Herzlich gedankt sei der Bibliothèque nationale de France für die Erlaubnis, das Manuskript zu transkribieren und zu publizieren sowie Prof. Bianca Maria Antolini und Prof. Gianni Fabbrini, die mit ihren profunden Kenntnissen zur besseren Realisation dieser Transkription beigetragen haben.

RISTRETTO DI ESERCIZI
PER BENE APPRENDERE LA MANIERA DI CANTO,
E LEZZIONI DI PORTAMENTO,
DI ORNAMENTO, ED ESPRESSIONE

A COMPENDIUM OF EXERCISES
FOR THE BEST WAY TO LEARN SINGING
AND LESSONS IN PORTAMENTO,
EMBELLISHMENT AND EXPRESSION

PRÉCIS D'EXERCICES
POUR BIEN APPRENDRE LA MANIÈRE DE CHANTER,
ET LEÇONS DE PORT DE VOIX,
D'ORNEMENTATION, ET D'EXPRESSION

ABRISS VON ÜBUNGEN
FÜR DAS GUTE ERLERNEN DES GESANGS
UND LEKTIONEN IN PORTAMENTO,
VERZIERUNG UND AUSDRUCK

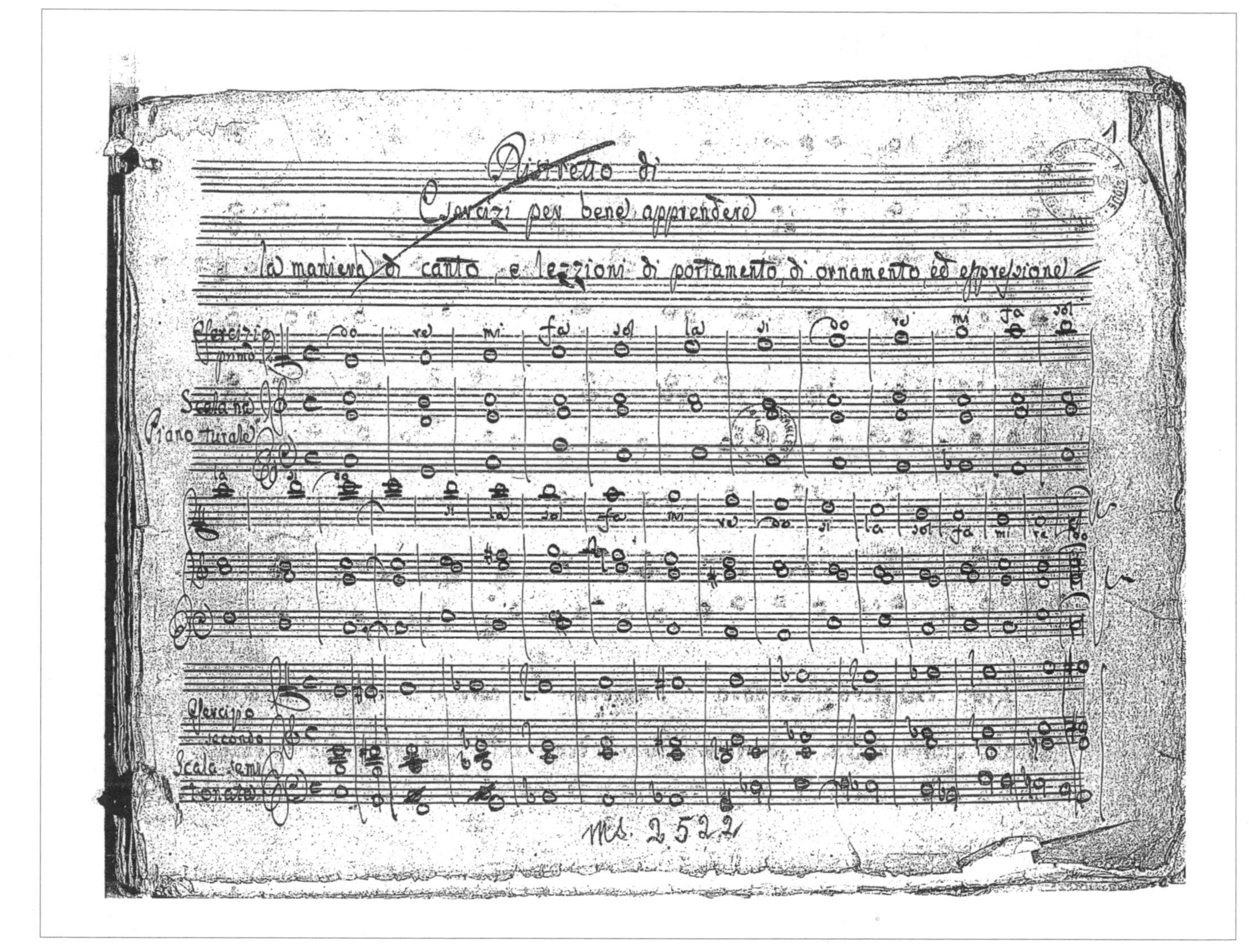

Paris, Bibliothèque nationale de France, ms 2522/1*r*

ESERCIZIO I

Scala naturale

EXERCISE NO. 1

Natural scale

EXERCICE N° 1

Gamme naturelle

ÜBUNG NR. 1

Tonleiter in reiner Stimmung

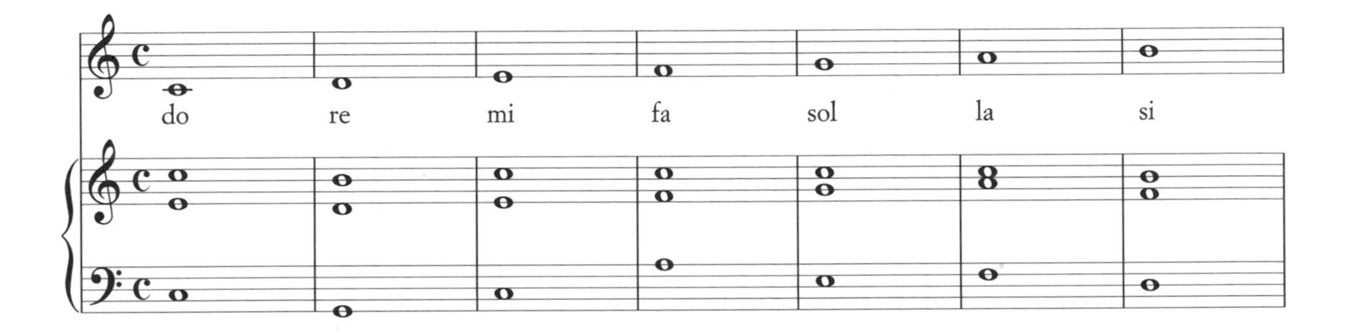

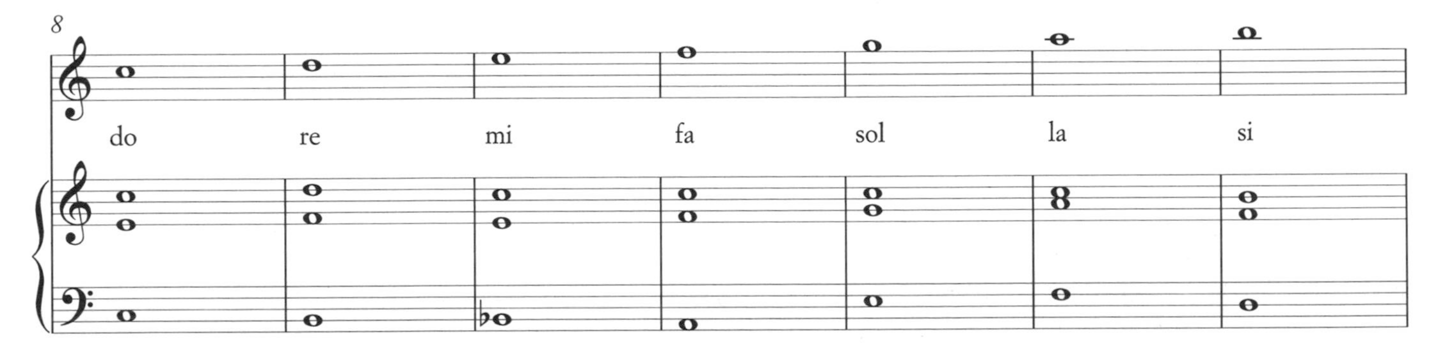

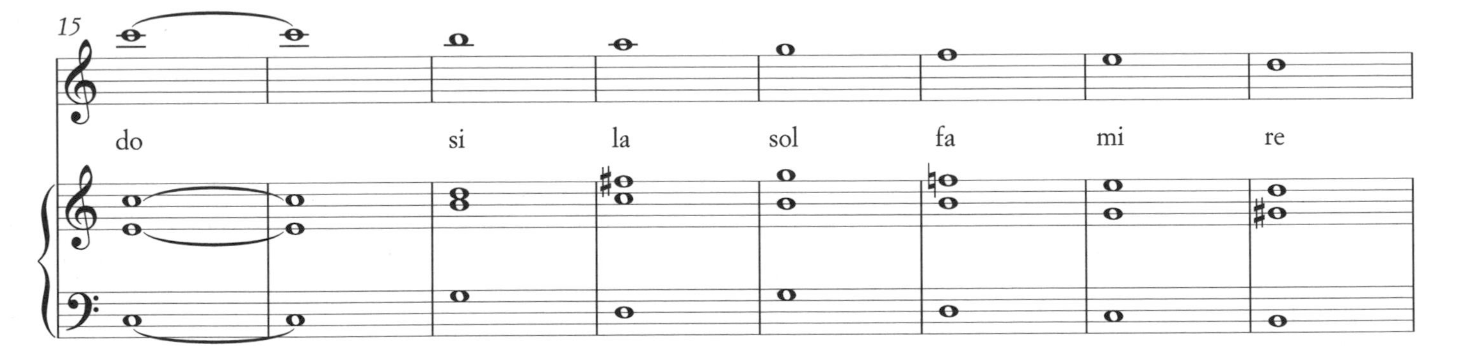

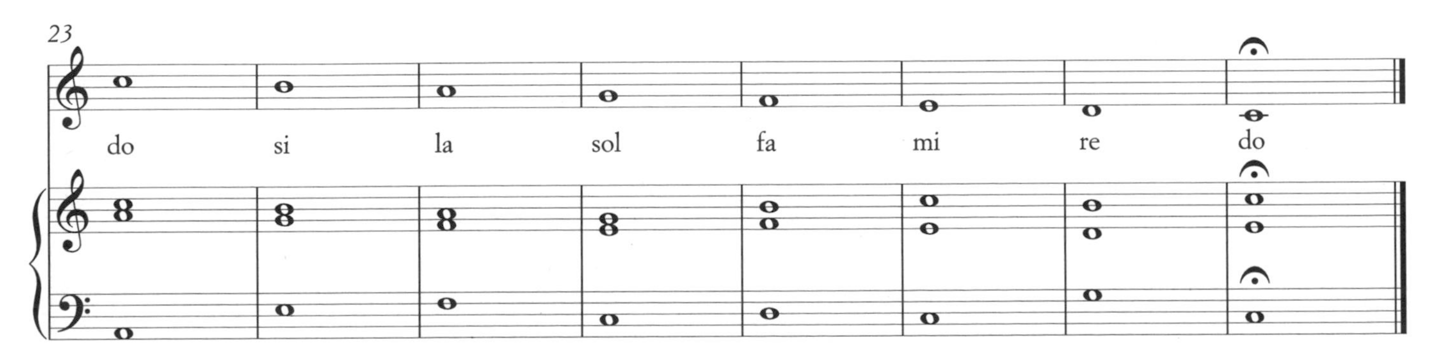

ESERCIZIO II

Scala semitonata

EXERCISE NO. 2
Semitonal scale

EXERCICE N° 2
Gamme par demi-tons

ÜBUNG NR. 2
Tonleiter in Halbtonschritten

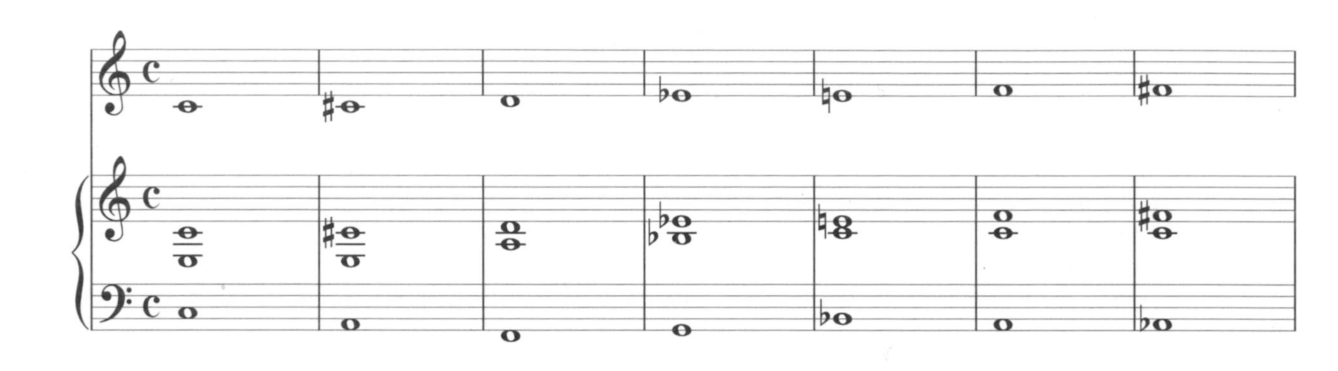

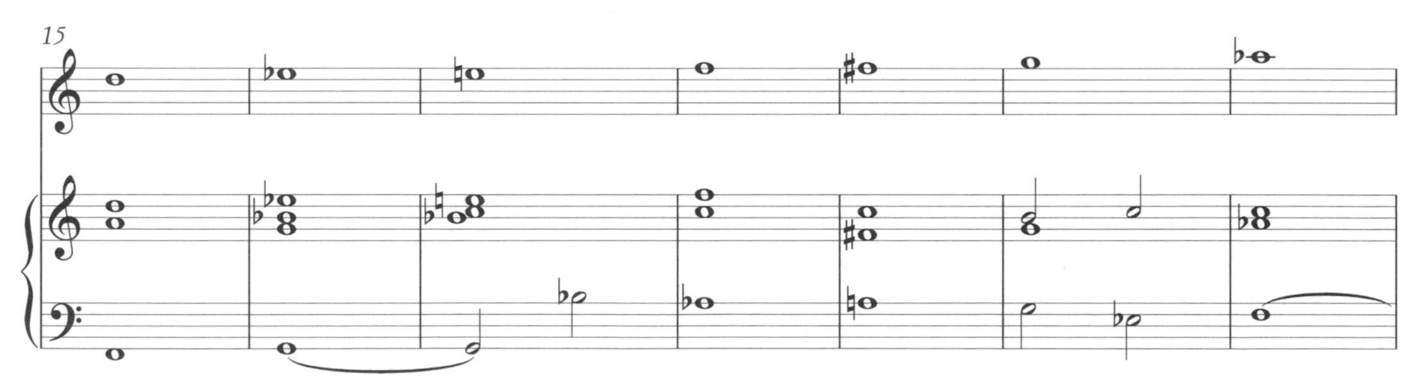

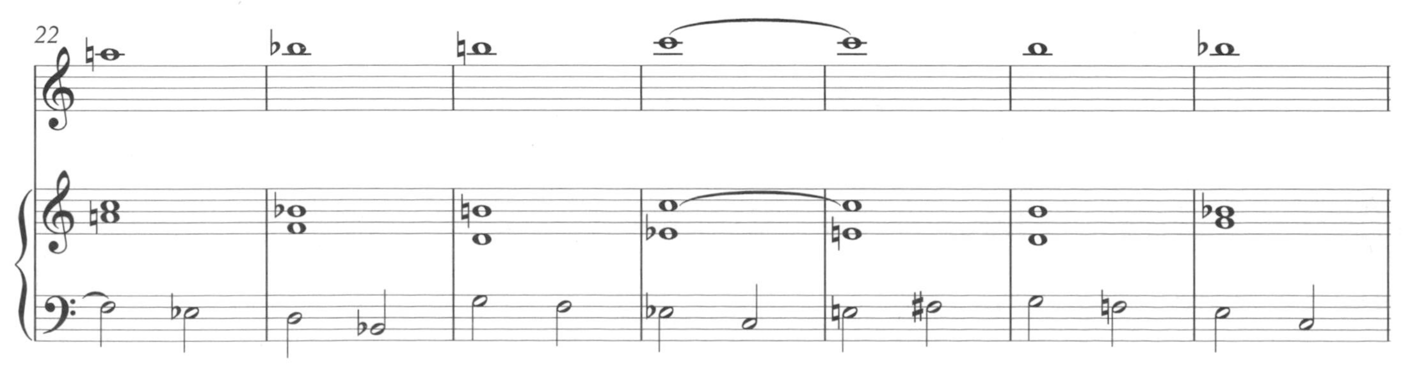

Questi due esercizi servono a sviluppare la voce, e a renderla ferma, ed eguale. Ciascuna nota si deve cominciare debolmente, crescere gradatamente e a poco a poco rindebolirla senza tremare, o equivocare nell'intonazione. Passiamo ai salti.

These two exercises help develop the voice, keeping it steady and even. Each note should be started weakly, gradually allowed to strengthen and then slowly weaken without any trembling or wavering in intonation. Let's now look at intervals.

Ces deux exercices servent à développer la voix et à la rendre ferme, et égale. Chaque note doit commencer doucement, augmenter graduellement et peu à peu diminuer d'intensité, sans trembler, ni fléchir dans la juste intonation. Passons-nous aux sauts.

Diese beiden Übungen dienen dazu, die Stimme zu entwickeln und sie fest und gleichmäßig zu machen. Jede Note muss leise beginnen, sich stufenweise und nach und nach steigern, ohne zu zittern oder in der Intonation unsicher zu werden. Wenden wir uns nun den Intervallen zu.

ESERCIZIO III

Salti di terza

EXERCISE NO. 3

Intervals of thirds

EXERCICE N° 3

Sauts de tierce

ÜBUNG NR. 3

Terzen

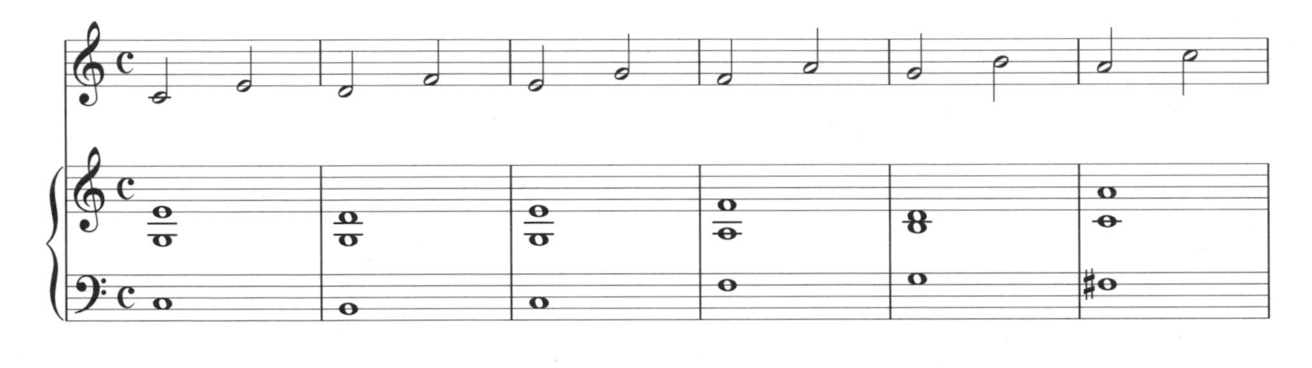

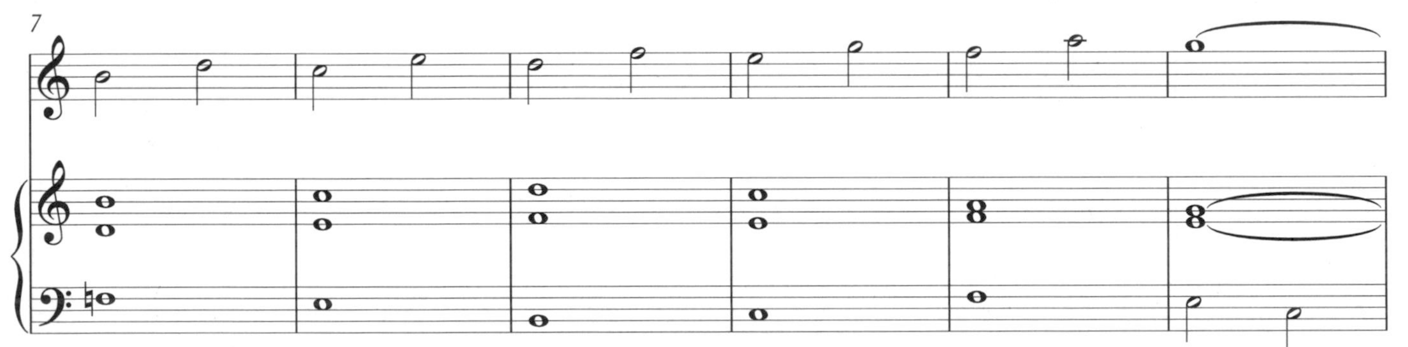

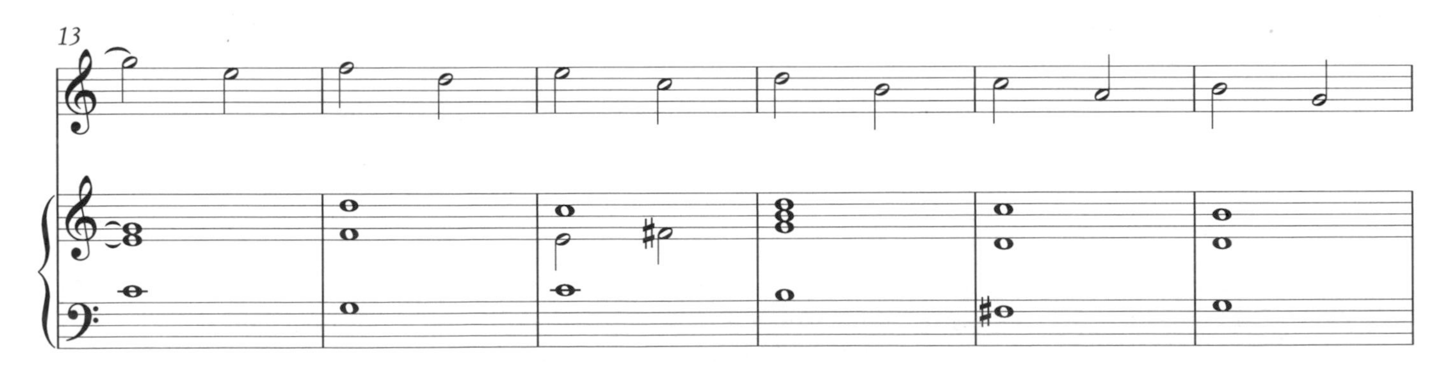

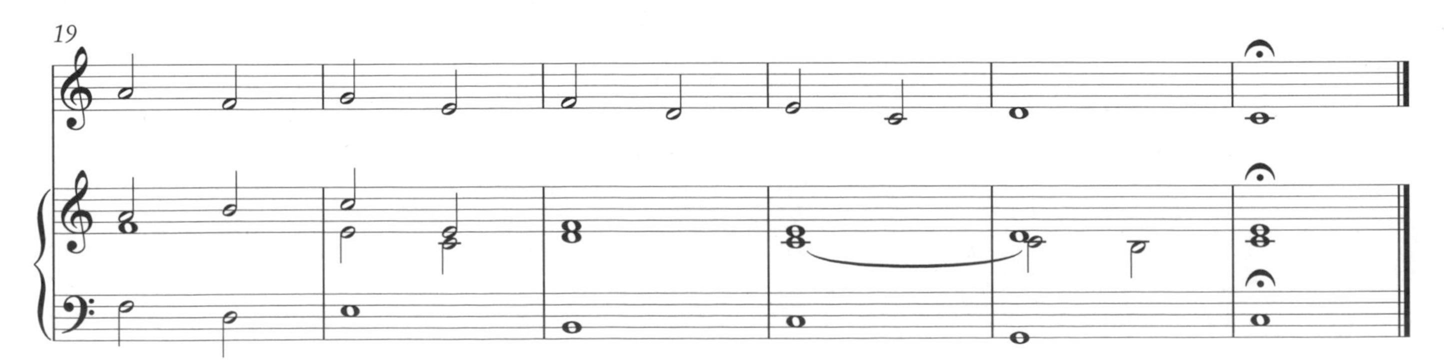

ESERCIZIO IV

Salti di quarta

EXERCISE NO. 4	EXERCICE N° 4	ÜBUNG NR. 4
Intervals of fourths	Sauts de quarte	Quarten

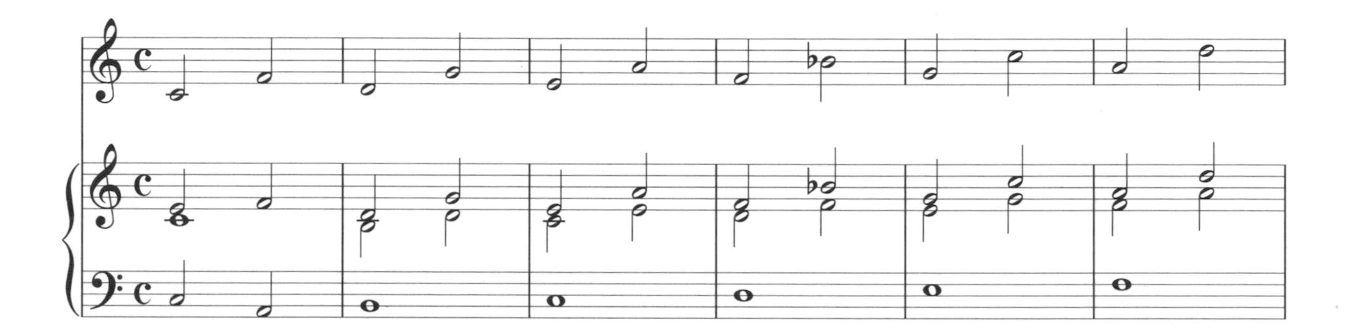

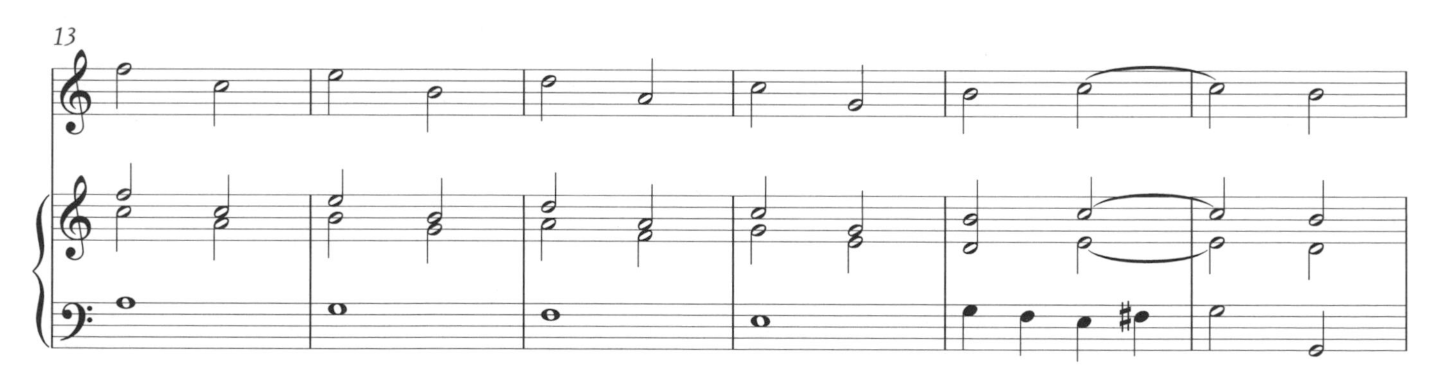

ESERCIZIO V

Salti di quinta

EXERCISE NO. 5
Intervals of fifths

EXERCICE N° 5
Sauts de quinte

ÜBUNG NR. 5
Quinten

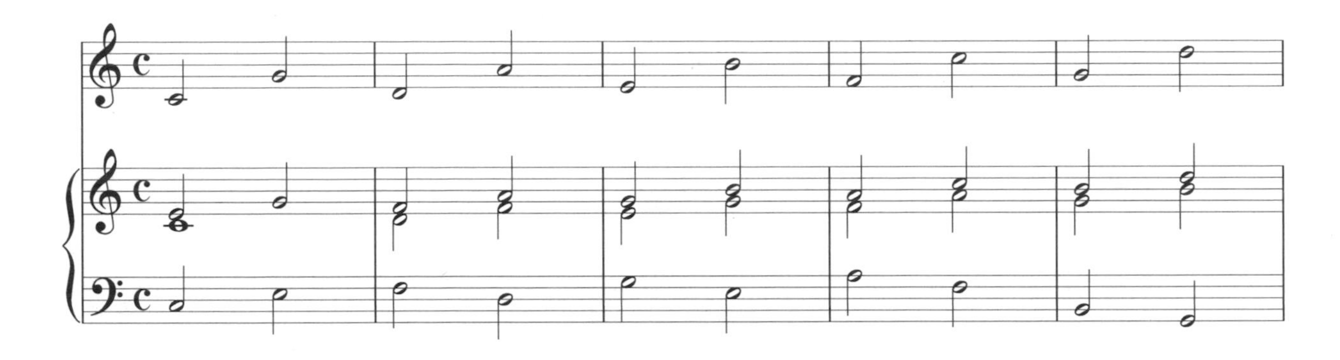

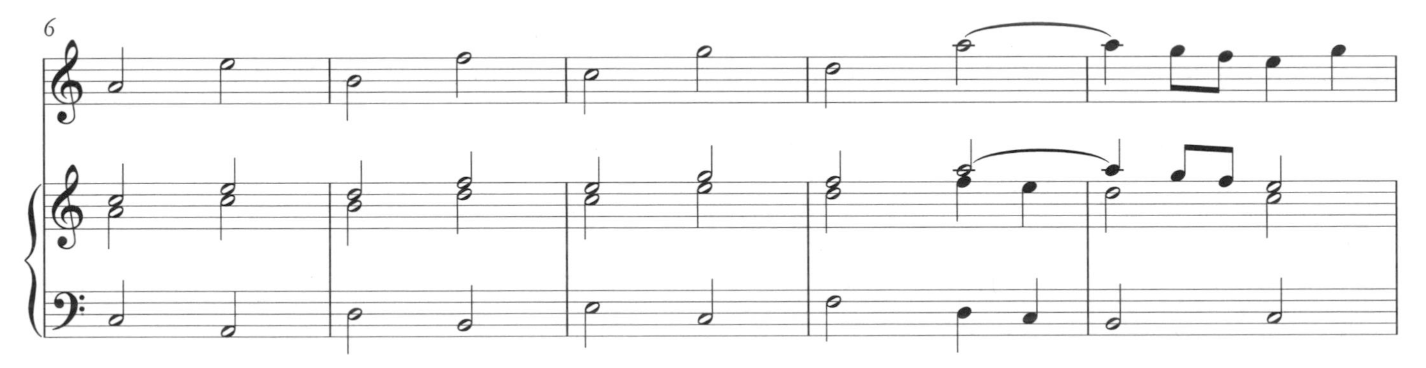

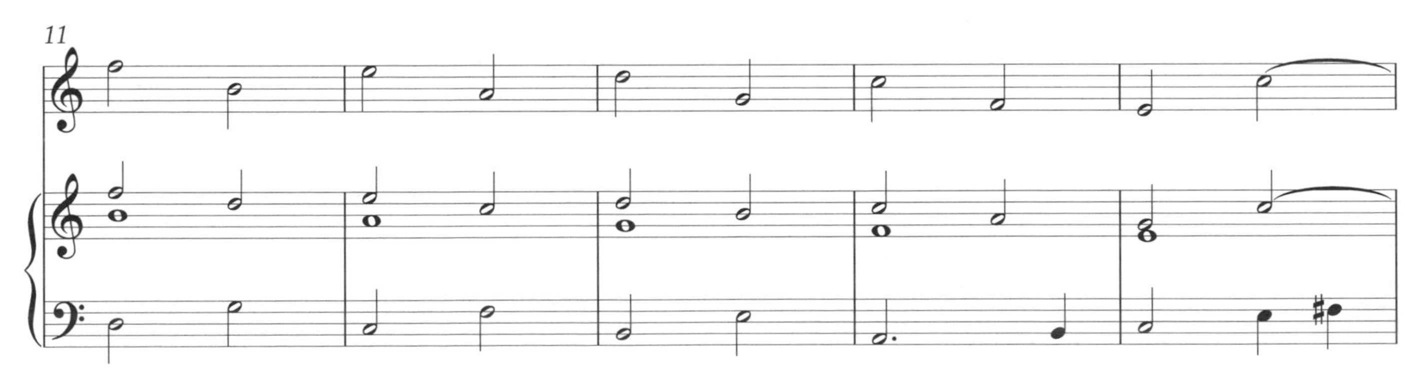

ESERCIZIO VI

Salti di sesta

EXERCISE NO. 6	EXERCICE N° 6	ÜBUNG NR. 6
Intervals of sixths	Sauts de sixte	Sexten

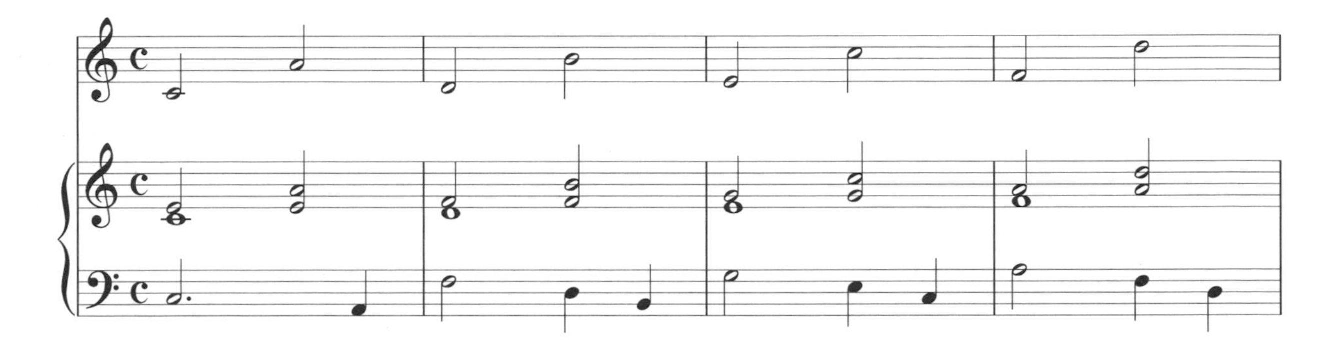

ESERCIZIO VII

Salti di settima

EXERCISE NO. 7
Intervals of sevenths

EXERCICE N° 7
Sauts de septième

ÜBUNG NR. 7
Septimen

ESERCIZIO VIII

Salti di ottava

EXERCISE NO. 8

Intervals of octaves

EXERCICE N° 8

Sauts d'octave

ÜBUNG NR. 8

Oktaven

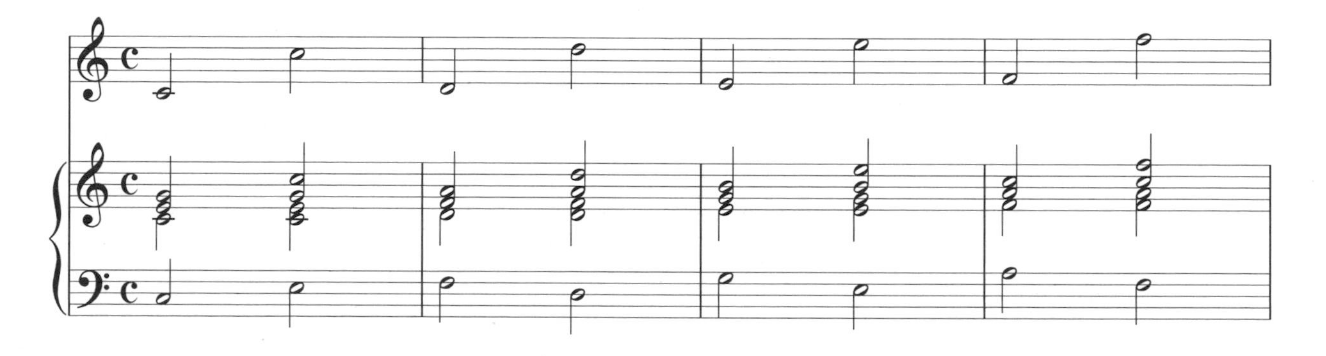

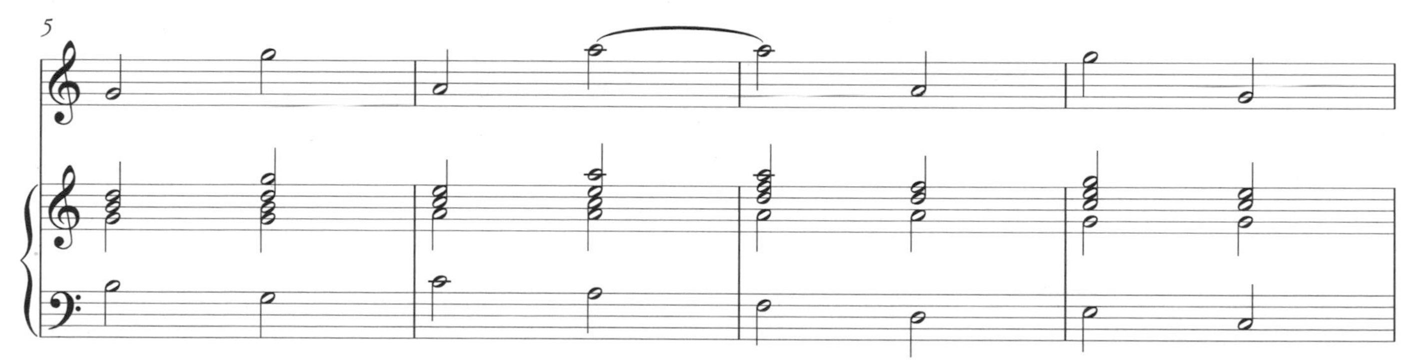

ESERCIZIO IX

Salti di nona

EXERCISE NO. 9
Intervals of ninths

EXERCICE N° 9
Sauts de neuvième

ÜBUNG NR. 9
Nonen

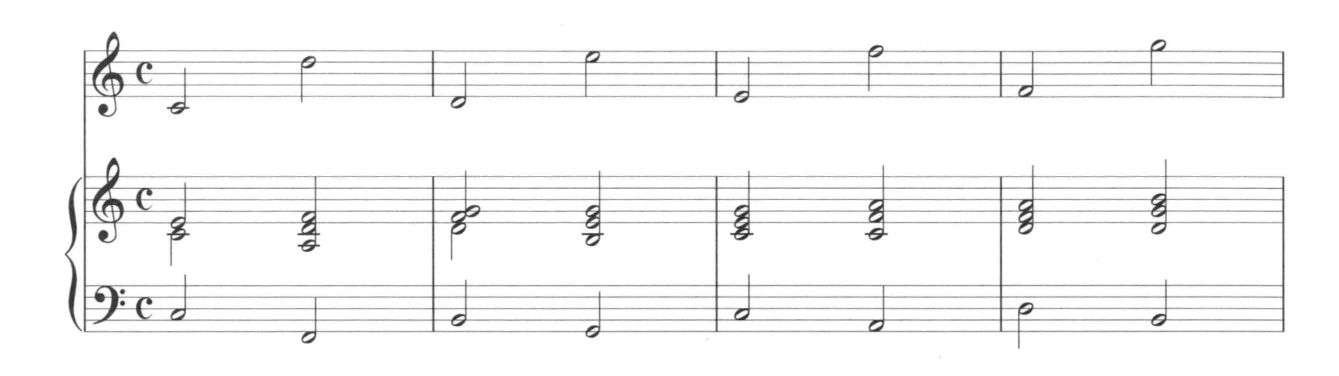

ESERCIZIO X

Salti di decima

EXERCISE NO. 10

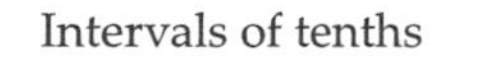

Intervals of tenths

EXERCICE N° 10

Sauts de dizième

ÜBUNG NR. 10

Dezimen

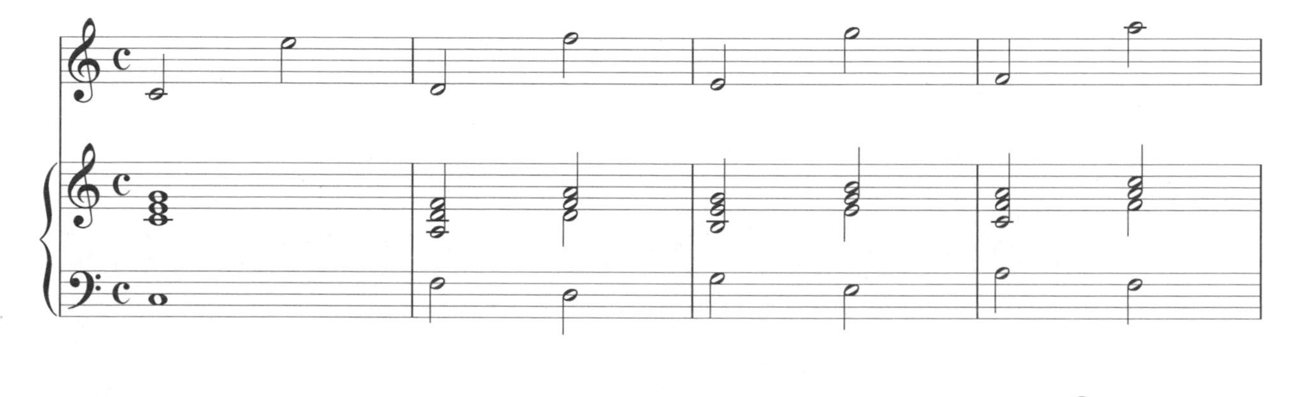

Avvertasi di ridurre la voce alla perfetta intonazione, e sicurezza di questi salti. Passiamo ora ad altri esercizi per agevolare la voce.

Make sure you compel the voice to get perfect intonation and confidence with these intervals. Let's now look at other exercises that help the voice.

Qu'on prenne garde de conformer la voix à la parfaite intonation, et à l'assurance dans ces sauts. Passons maintenant à d'autres exercices pour préparer la voix.

Die Stimme muss hier mit perfekter Intonation und Sicherheit in den Intervallen geführt werden. Wenden wir uns nun anderen Übungen zur Vorbereitung der Stimme zu.

Paris, Bibliothèque nationale de France, ms 2522/4*v*

ESERCIZIO XI

Mezze ottave a salire, e discendere

EXERCISE NO. 11

Half octaves, ascending and descending

EXERCICE N° 11

Demi-octaves montantes
et descendantes

ÜBUNG NR. 11

Halbe Oktaven auf- und abwärts

ESERCIZIO XII

Ottave a salire e discendere

EXERCISE NO. 12

Octaves, ascending and descending

EXERCICE N° 12

Octaves montantes et descendantes

ÜBUNG NR. 12

Oktaven auf- und abwärts

Paris, Bibliothèque nationale de France, ms 2522/*9r*

ESERCIZIO XIII

Ottave colla progressione di terza a salire, e discendere

EXERCISE NO. 13

Octaves plus a third, ascending and descending

EXERCICE N° 13

Octaves avec l'ajout d'une tierce, montantes et descendantes

ÜBUNG NR. 13

Oktaven plus eine Terz, auf- und abwärts

ESERCIZIO XIV

Ottave colla progressione di quinta a salire, e discendere

EXERCISE NO. 14

Octaves plus a fifth, ascending and descending

EXERCICE Nº 14

Octaves avec l'ajout d'une quinte, montantes et descendantes

ÜBUNG NR. 14

Oktaven plus eine Quinte, auf- und abwärts

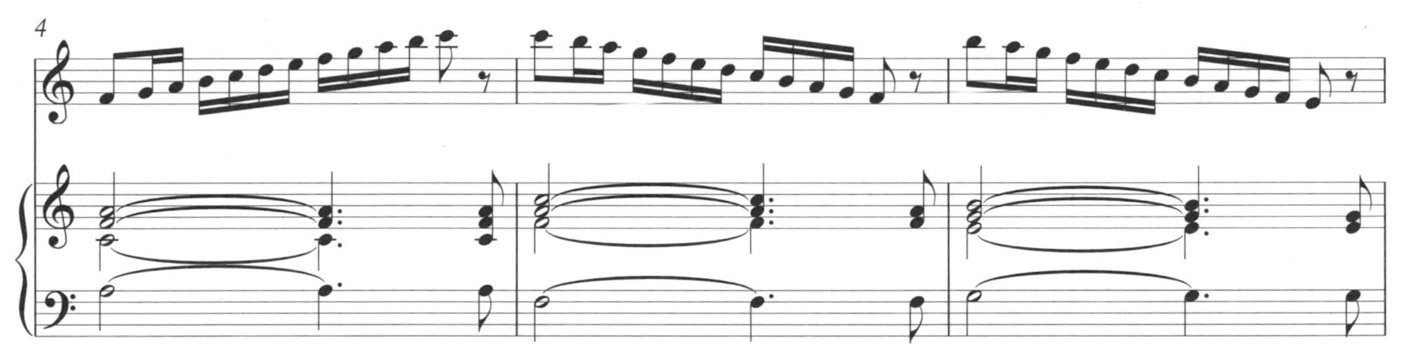

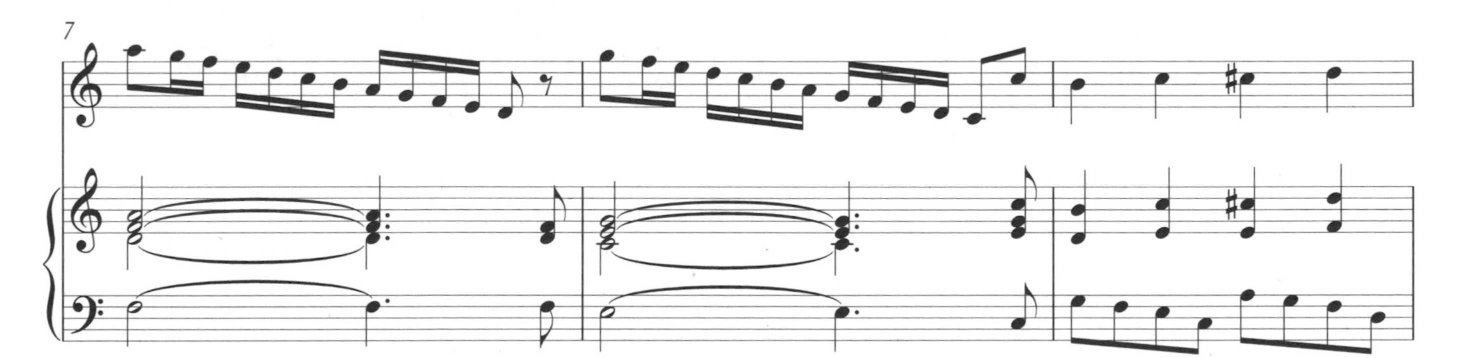

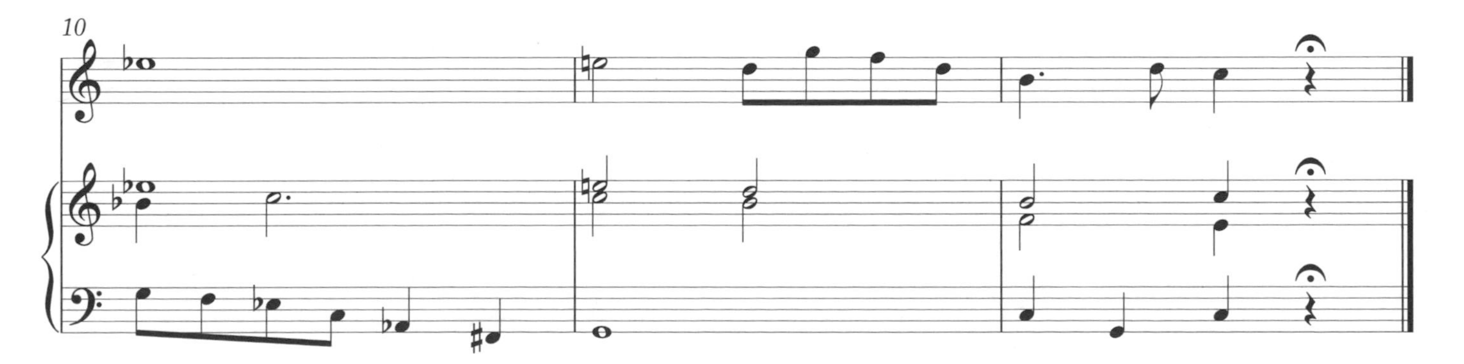

ESERCIZIO XV

Ottave a salire, e discendere senza intervalli di riposo

EXERCISE NO. 15

Octaves, ascending and descending without rests

EXERCICE N° 15

Octaves montantes et descendantes sans intervalles de repos

ÜBUNG NR. 15

Oktaven auf- und abwärts ohne Pausen

Paris, Bibliothèque nationale de France, ms 2522/6*v*

ESERCIZIO XVI

Maniera per apprendere a fare il trillo perfettamente

EXERCISE NO. 16

Method for learning how to perform the perfect trill

EXERCICE Nº 16

Manière pour apprendre à exécuter parfaitement le trille

ÜBUNG NR. 16

Wie man lernt, einen Triller perfekt auszuführen

14

17
(♭)

20
(♭)

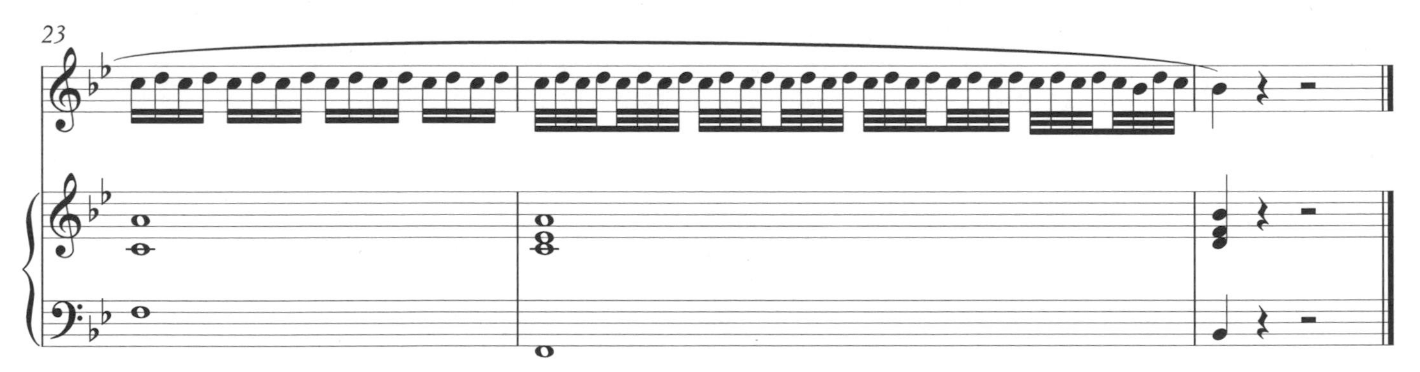
23

ESERCIZIO XVII

Per passare col trillo da un tono all'altro

EXERCISE NO. 17

How to pass from one tone to another using a trill

EXERCICE N° 17

Pour passer avec le trille d'un ton à l'autre

ÜBUNG NR. 17

Wie man mit einem Triller von einem Tom zum nächsten gelangen kann

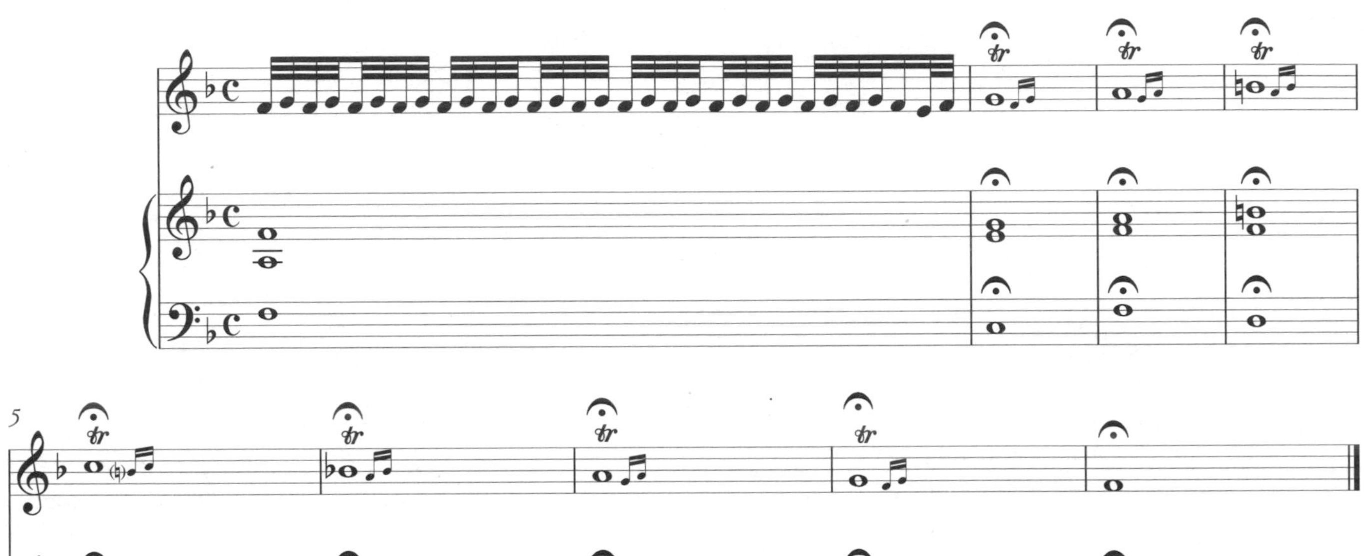

Opposite page

1. trill
2. linked to the passage
3. first forte second piano by skips
4. the same by steps
5. syncopation
6. staccato

Sur la page d'à côté

1. trille
2. [note] liée au passage
3. première forte seconde piano, par sauts
4. *idem* par degrés
5. syncopes
6. staccato

Auf der nebenstehenden Seite

1. Triller
2. (Note) an die Passage anbinden
3. die erste Note des Intervalls forte, die zweite piano
4. ebenso, stufenweise
5. Synkopen
6. staccato

ESERCIZIO XVIII

Diverse maniere di porgere la voce

EXERCISE NO. 18

Different ways to deliver the voice

EXERCICE Nº 18

Diverses manières de poser la voix

ÜBUNG NR. 18

Verschiedene Arten der Übung für den Stimmansatz

ESERCIZIO XIX

Altri diversi accenti, e portamenti di voce

EXERCISE NO. 19

More different accents
and vocal portamenti

EXERCICE N° 19

Autres accents et ports de voix divers

ÜBUNG NR. 19

Verschiedene Akzente
und Portamenti der Stimme

1. a single forced note, the others sung sweetly
2. legato all the same
3. interrupted voices
4. the first two legato, the second two staccato
5. three legato, one staccato
6. the first two staccato, the second two legato
7. the first staccato, the other three legato
8. the first staccato, the second two legato, the 4th and 5th staccato
9. portando

1. une seule note accentuée, les autres avec douceur
2. notes égales et liées
3. sons interrompus
4. les deux premières notes liées, et les deux autres détachées
5. trois liées et une détachée
6. les deux premières détachées, les deux autres liées
7. la première détachée, les trois autres liées
8. la première détachée, les deux suivantes liées, les 4e et 5e détachées
9. en portant la voix

1. nur eine Note forzato, die anderen con dolcezza
2. gleichmäßig binden
3. unterbrochen
4. die beiden ersten gebunden, die nächsten beiden staccato
5. drei gebunden, eine staccato
6. die beiden ersten staccato, die nächsten beiden gebunden
7. die erste staccato, die drei anderen gebunden
8. die erste staccato, die beiden nächsten gebunden, die vierte und fünfte staccato
9. portando

ESERCIZIO XX

Altri diversi accenti per esprimere diversi sentimenti

EXERCISE NO. 20

More different accents to express various emotions

EXERCICE N° 20

Autres accents divers pour exprimer différents sentiments

ÜBUNG NR. 20

Weitere Akzente, um verschiedene Gefühle auszudrücken

Moderato

Dolce forte alternativamente [1]

p f p f p f

Moderato

note ligate a contro tempo [2]

suono trascinato lentamente senza articolazione portando la voce per gradi uniti da una nota all'altra [3]

5

1. dolce and forte alternately
2. slurred notes in controtempo
3. slowly drawn-out sound without articulation, gradually and evenly carrying the voice from one note to another
4. portando by disjointed steps
5. to express pain through sobbing, use these staccato notes in controtempo
6. strongly slurred voices with the bass voice forced in the lower register and then joining them with a great skip to the high voice
7. staccato notes
8. each note sung with a quiver
9. dotted notes
10. each note hit with appoggiatura
11. triplets with added appoggiatura

1. alternativement doux et fort
2. notes liées à contretemps
3. son poussé lentement sans articulation, en portant la voix d'une note à l'autre par degrés conjoints
4. en portant la voix par degrés disjoints
5. pour exprimer la douleur avec des sanglots, on fait usage de ces notes détachées à contretemps
6. sons forts, liés, appuyés, avec une voix basse de poitrine, qui rejoint l'aigu par un grand saut
7. notes piquées
8. en propageant un frémissement dans chaque note
9. notes pointées
10. en attaquant chaque note par une appoggiature
11. triolets avec une appoggiature

1. abwechselnd dolce und forte
2. „gegen den Takt" gebundene Noten
3. langgezogener Ton ohne Phrasierung, stufenweises portando von einer Note zur nächsten
4. portando über mehrere Tonstufen
5. um Schmerz mit Seufzern auszudrücken, benutzt man solch ein „staccato a controtempo" (auf dem leichten Taktteil)
6. gebundene Töne, forte, forzato mit der tiefen Bruststimme, verbunden mit einem großen Aufwärtssprung
7. pichettato (eine Art staccato)
8. mit jeder Note ein Zittern ausdrücken
9. punktierte Noten
10. jede Note mit einem Vorschlag beginnen
11. Triolen, die durch einen Vorschlag entstehen

ESERCIZIO XXI

Del portamento di voce che è la maniera la più amabile,
e la perfetta unione dei soni, che la forma

EXERCISE NO. 21

On the vocal portamento,
being the most pleasant way
and the perfect union
of sounds forming it

EXERCICE N° 21

Le port de voix, qui est la manière
la plus aimable, et la parfaite union
des sons, qui le produit

ÜBUNG NR. 21

Wie ein Portamento der Stimme auf die
angenehmste Weise auszuführen ist,
und von der perfekten Verbindung der
Töne, aus denen es geformt wird

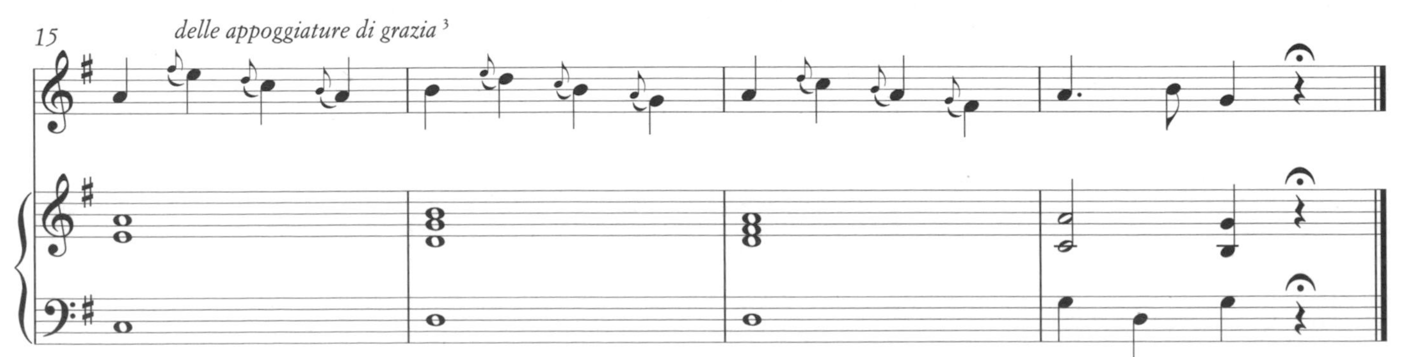

Previous page

1. vocal portamento for pathos and expression
2. trill to end a period gracefully and with expression
3. a few graceful appoggiatures

A la page precédente

1. ports de voix pour le pathétique et l'expressif
2. trille pour terminer une période avec grâce et expression
3. appoggiatures d'agrément

Auf der vorigen Seite

1. Portamenti der Stimme für Pathos und Ausdruck
2. Triller, mit dem eine Periode anmutig und ausdrucksvoll beendet wird
3. verzierende Vorschläge

Paris, Bibliothèque nationale de France, ms 2522/10*v*

Next page

1. ornaments
2. mordents, starting with the upper note
3. appoggiatura above
4. other mordents in each note
5. other embellishing appoggiaturas above
6. mordents, starting below
7. appoggiaturas one steps below
8. other thirds
9. other sixths
10. other sevenths, above
11. other appoggiaturas of two notes, starting above
12. trill ending with two appoggiaturas below
13. three appoggiaturas below, equal to the mordent
14. others above with the same effect

A la page suivante

1. ornements
2. mordants commençant par la note supérieure
3. appoggiature supérieure
4. autres mordants à chaque note
5. autres appoggiatures d'agrément, avec la note supérieure
6. mordants commençant par la note inférieure
7. appoggiatures inférieures d'un degré
8. autres [appoggiatures] de tierce ascendante
9. autres [appoggiatures] de sixte ascendante
10. autres [appoggiatures] de septième descendante
11. autres appoggiatures de deux notes supérieures
12. trille terminant par une double appoggiature inférieure
13. triples appoggiatures inférieures, équivalant au mordant
14. autres [triples appoggiatures] supérieures, avec le même effet

Auf der folgenden Seite

1. Verzierungen
2. Mordenti von oben
3. Vorschlag von oben
4. weitere Mordenti auf jede Note
5. weitere verzierende Vorschläge von oben
6. Mordenti von unten
7. Vorschläge von unten über mehrere Tonstufen
8. weitere mit Terzen
9. weitere mit Sexten
10. weitere mit Septimen von oben
11. weitere Vorschläge aus zwei Noten von oben
12. Triller, der mit zwei Vorschlägen von unten beendet wird
13. drei Vorschläge von unten, die einem Mordent entsprechen
14. ebensolche von oben

ESERCIZIO XXII

Degl'abbellimenti che formano il canto piacevole, o insinuante

EXERCISE NO. 22

On embellishments for agreeable or insinuating singing

EXERCICE N° 22

Les ornements qui rendent le chant agréable ou insinuant

ÜBUNG NR. 22

Von den Verzierungen, die den angenehmen oder einnehmenden Gesang ausmachen

15
mordenti incominciando al di sotto 6
appoggiature al di sotto di grado 7
altre di terza 8
20
altre di sesta 9
altre di settima al di sopra 10
25
altre appoggiature di due note incominciando al di sopra 11
30
trillo terminato con due appoggiature al di sotto 12
tre appoggi al di sotto che equival.[gon]o al mordente 13
35
altre al di sopra col med.o effetto 14

ESERCIZIO XXIII

Maniere di abbellire un canto, in cui si deve molto studiare per renderlo piacevole, e non confonderlo, e tradire il sentimento del compositore

EXERCISE NO. 23

How to embellish a song, requiring much studying to make it agreeable and how not to confuse it and betray the composer's feeling

EXERCICE N° 23

Manières d'orner un chant, où l'on doit beaucoup étudier pour le rendre agréable, sans le brouiller ni trahir le sentiment du compositeur

ÜBUNG NR. 23

Arten, den Gesang zu verzieren, die viel geübt werden müssen, um ihn angenehm zu machen, nichts durcheinander zu bringen und die Absicht des Komponisten nicht zu verraten

Non mi estendo di più sù questo genere, perché è troppo immenso, e perché mi son proposto di fare un saggio, e non scriver solfeggi. Dico però, e avverto lo studioso, che per questo genere non troverà meglio, che i solfeggi di La Barbiera, come ripeterò ancora nel fine di questo trattato, essendo che in questi troverà quanto si può immaginare di espressivo, di piacevole, di abbellimento, e della più grata, nuova, e vera maniera di cantare.

I don't intend to go into detail on this matter, as the subject is too vast and my intent is to draft an essay, not to write solfeggi. I would say, however, and point out to pupils, that one can do no better than La Barbiera's solfeggi, as I will repeat at the end of this treatise, since here you can find all you could want in terms of expression, agreeableness, embellishment and the most welcome, new and true manner of singing.

Je ne m'étends pas davantage sur cette matière, parce qu'elle est trop vaste, et parce que je me suis proposé de faire un essai, et non pas d'écrire des solfèges. Je dis toutefois, et j'avertis l'élève, que dans ce domaine il ne trouvera pas mieux que les solfèges de La Barbiera, comme je le répéterai encore à la fin de ce traité, en ce qu'il y trouvera tout ce qui se peut imaginer d'expressif, d'agréable, sur l'ornementation, et sur la véritable manière de chanter, la plus gracieuse, et la plus nouvelle.

Über dieses Thema verbreite ich mich nicht weiter, weil es ein zu weites Feld ist, und weil ich mir vorgenommen habe, eine Schule zu schreiben, nicht Solfeggi, dennoch sage ich und weise den Schüler darauf hin, dass dazu nichts Besseres zu finden ist als die Solfeggi von La Barbiera, worauf ich auch am Ende dieses Traktates noch einmal hinweisen werde, weil bei ihm alles nur Vorstellbare zum Ausdruck, dem einnehmenden Singen und an Verzierungen zu finden ist, und alles über die angenehmste, neueste und wahrste Art des Singens.

Passiamo adesso a far qualche altro esercizio di gorgheggio, o sia agilità per render la voce flessibile, eguale, e pronta a tutto quello che abbiamo detto fino ad ora, avvertendo lo studioso di bene articolare le note in maniera, che si possano distinguer' tutte senza confusione, e imbarazzo.

Let's now do a few more exercises of trilling, i.e. the agility needed to make the voice flexible, even and ready for all we have seen so far. I would point out to pupils that the notes should be well articulated so that they can all be distinctly heard without leading to confusion and embarrassment.

Passons maintenant à quelques autres exercices de vocalises, à savoir d'agilité pour rendre la voix flexible, égale, et apte à faire tout ce que nous avons dit jusqu'ici, en recommandant à l'élève de bien articuler les notes, de manière qu'on puisse les distinguer toutes, sans confusion ni embarras.

Gehen wir nun zu anderen Übungen mit Vokalisen oder für die Geläufigkeit, um die Stimme flexibel und gleichmäßig zu machen und sie auf all das vorzubereiten, wovon wir bisher gesprochen haben, wobei der Schüler darauf hingewiesen sei, dass er die Noten deutlich artikulieren möge, so dass alle ohne Verwechslungen und umstandslos zu unterscheiden sind.

ESERCIZIO XXIV

Si deve impiegare una sola ripresa
di fiato fino all'ultima nota della terza battuta ove conviene rinnovarlo

EXERCISE NO. 24

Only one breath until the last note of the third bar, where it will be convenient to breathe again

EXERCICE N° 24

On doit utiliser une seule prise de souffle jusqu'à la dernière note de la troisième mesure, où il convient de la renouveler

ÜBUNG NR. 24

Hier muss gelernt werden, mit einem einzigem Atemzug bis zur letzten Note des dritten Taktes zu gelangen und dort wieder einzuatmen

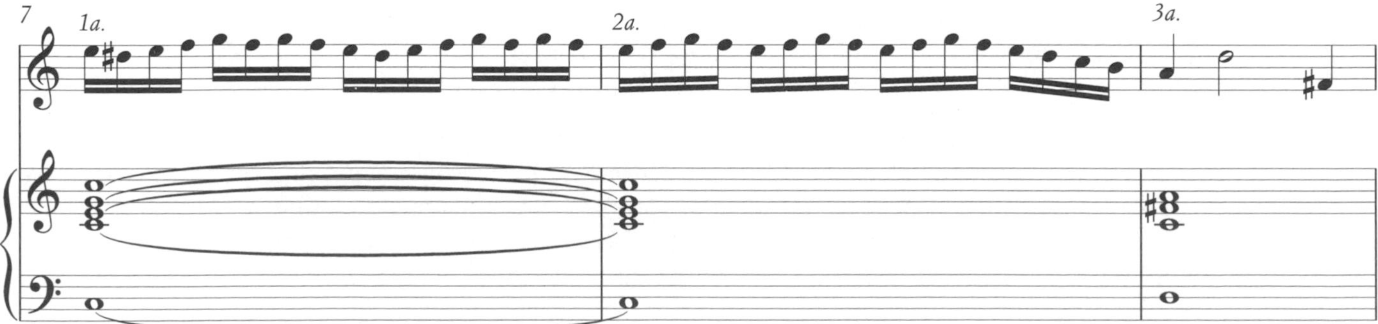

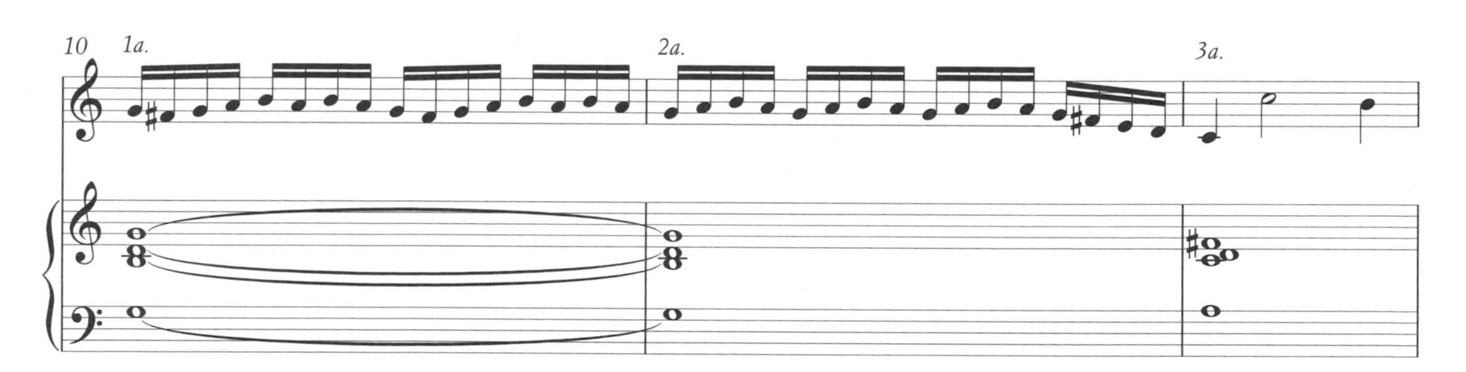
10
1a.
2a.
3a.

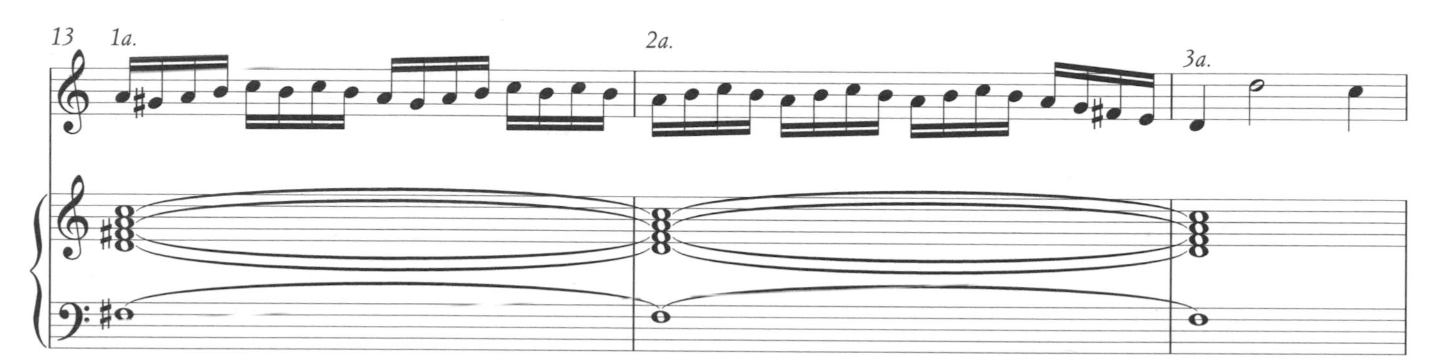
13
1a.
2a.
3a.

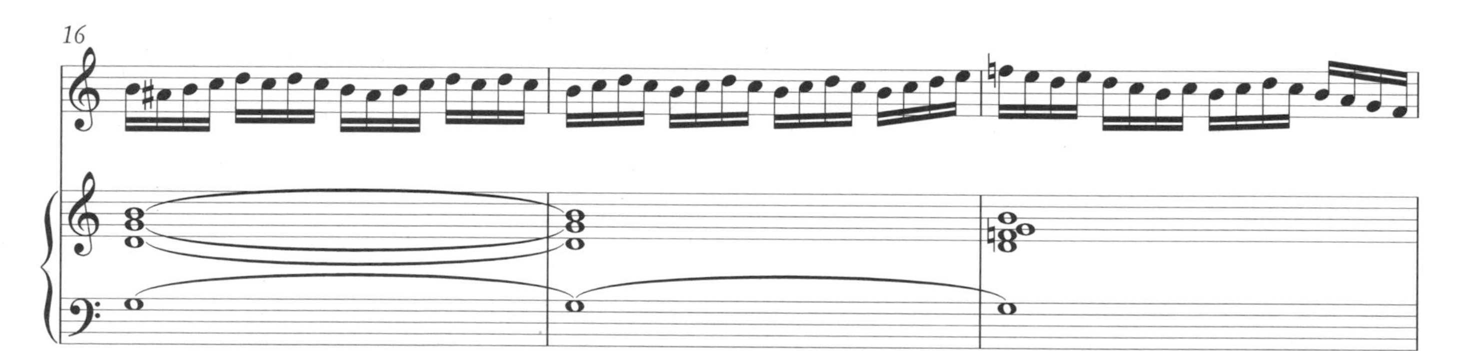
16

19

22

ESERCIZIO XXV

Terzine nel tempo eguale di quattro quarti

EXERCISE NO. 25

Triplets in the steady time of four-fourths

EXERCICE N° 25

Triolets dans la mesure régulière à quatre noires

ÜBUNG NR. 25

Triolen in gleichmäßigem Viervierteltakt

13

16

19

22

ESERCIZIO XXVI

Altre maniere per le note puntate

EXERCISE NO. 26

Other methods
for dotted notes

EXERCICE N° 26

Autres manières
pour les notes pointées

ÜBUNG NR. 26

Weitere Arten der Übung
für die punktierten Noten

17

22

27

32

37

ESERCIZIO XXVII

Altre maniere di sestine, e terzine per salti, e per gradi

EXERCISE NO. 27

Other methods for sextuplets and triplets, by skips and by steps

EXERCICE Nº 27

Autres manières de sextolets, et triolets par sauts et par degrés

ÜBUNG NR. 27

Weitere Arten der Übung mit Gruppen von sechs oder drei Noten

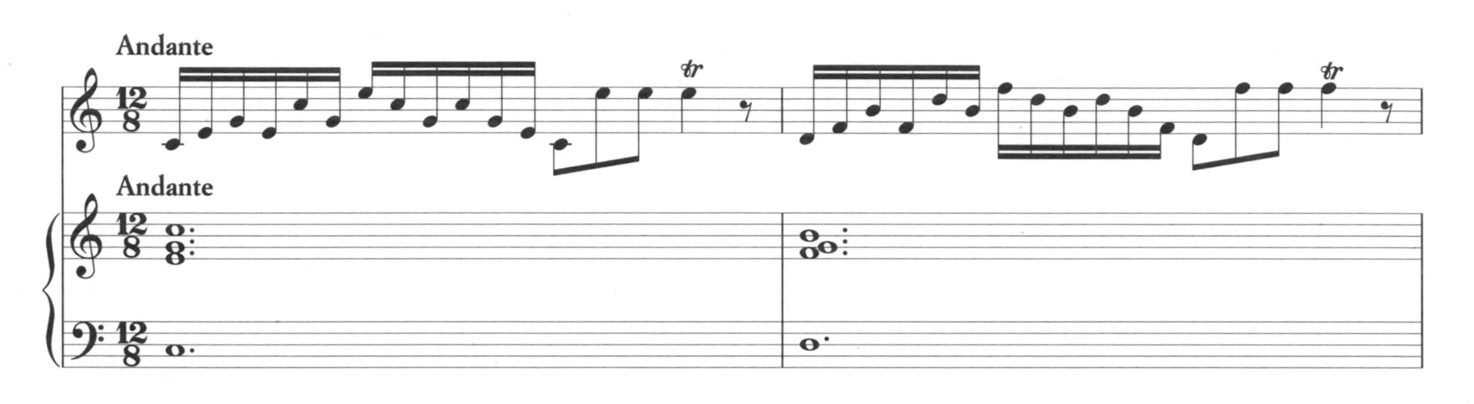

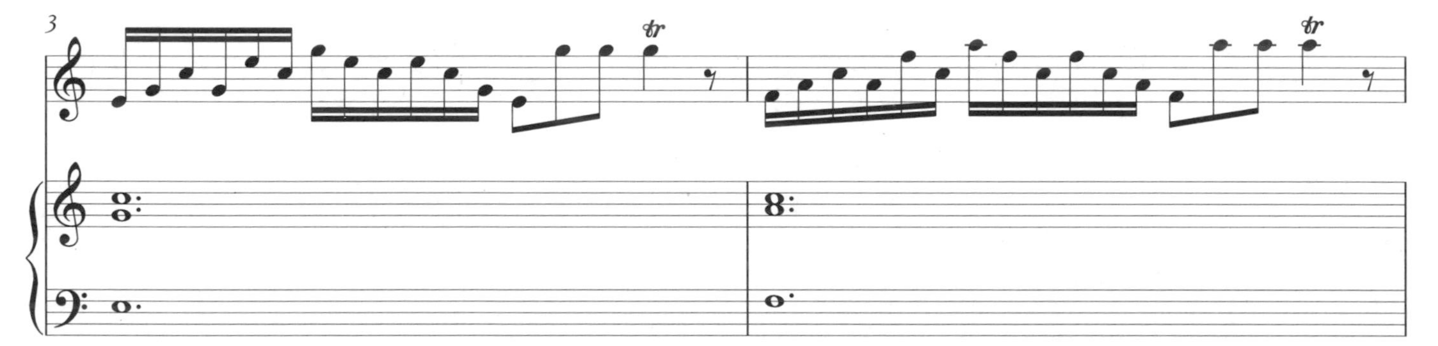

9
tr

11

13

15

ESERCIZIO XXVIII

Altre maniere per sincopare, e semitonare

EXERCISE NO. 28

Other methods for syncopation and semitones

EXERCICE Nº 28

Autres manières pour syncoper et procéder par demi-tons

ÜBUNG NR. 28

Weitere Arten der Übung für Synkopen und Halbtonschritte

11

13

15

18
3

21

ESERCIZIO XXIX

Altre maniere per le note battute o staccate, e altre interrotte da una pausa

EXERCISE NO. 29

Other methods for hammered or staccato notes and others interrupted by a rest

EXERCICE N° 29

Autres manières pour les notes martelées ou détachées et d'autres interrompues par une pause

ÜBUNG NR. 29

Weitere Arten der Übung für martellato oder staccato zu singende Noten und Übungen, die von einer Pause unterbrochen werden

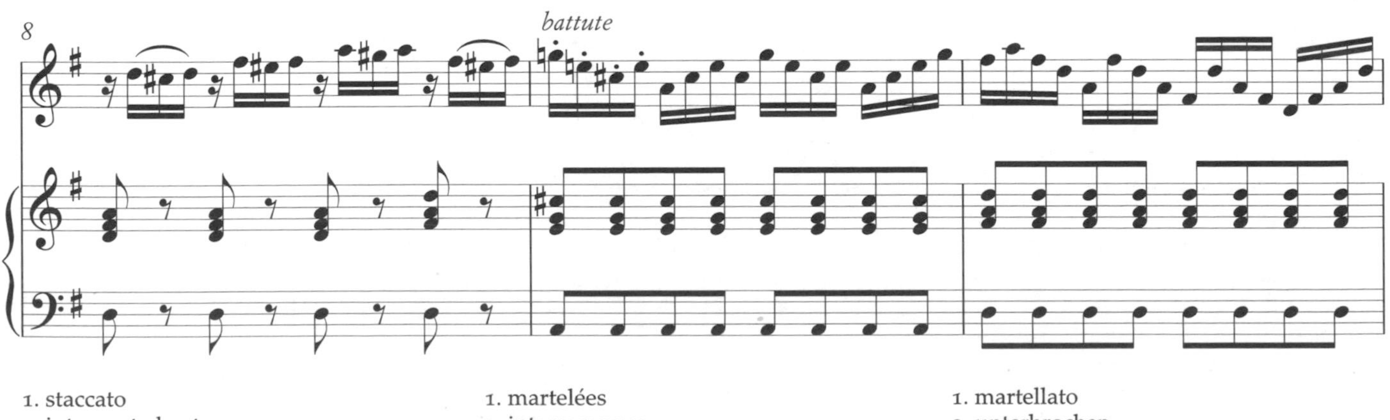

1. staccato
2. interrupted notes

1. martelées
2. interrompues

1. martellato
2. unterbrochen

11

13
battute

15
interrotte

18
battute

21

Punti di riposo, ove il cantante ha la libertà di fare degli abbellimenti, e dei passaggi senza però tradire la natura dell'accordo indicata dal basso.

Rests, where the singer is free to add embellishments and passages, but without betraying the nature of the chord, suggested by the bass.

Points d'orgue, où le chanteur a la liberté de faire des ornements, et des passages, sans toutefois trahir la nature de l'accord indiquée par la basse.

Fermaten, bei denen der Sänger die Freiheit hat, Verzierungen und Überleitungen zu machen, ohne dabei aber die Natur des vom Bass angezeigten Akkordes zu verlassen.

ESERCIZIO XXX

Sopra la prima del tono con l'accordo perfetto

EXERCISE NO. 30

Above the first of the tone with the perfect chord

EXERCICE Nº 30

Sur la tonique avec l'accord parfait

ÜBUNG NR. 30

Über die Tonika mit einem Grunddreiklang

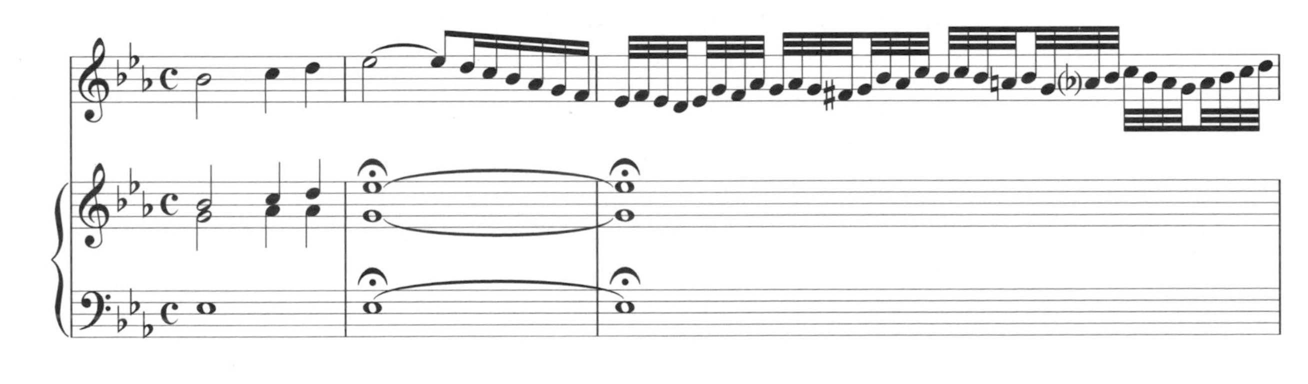

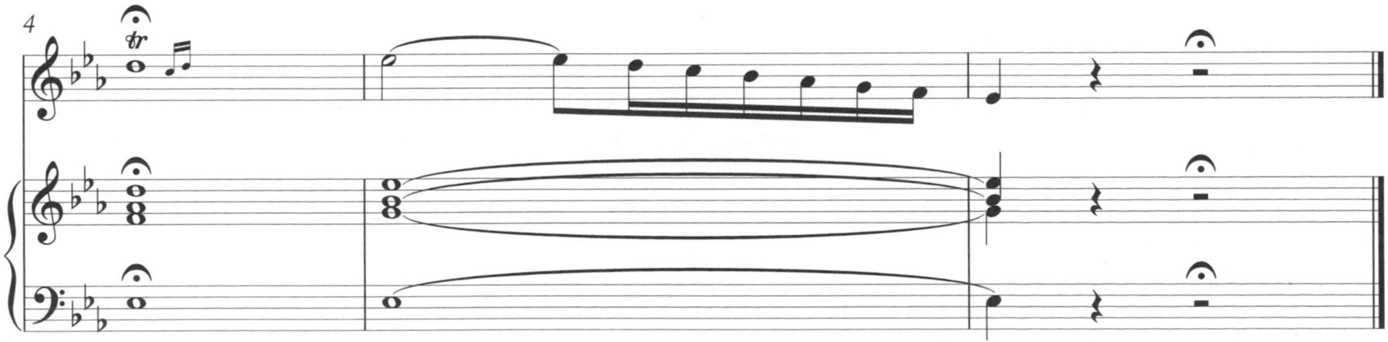

ESERCIZIO XXXI

Sopra la quinta del tono con l'accordo perfetto

EXERCISE NO. 31

Above the fifth of the tone with the perfect chord

EXERCICE N° 31

Sur la quinte avec l'accord parfait

ÜBUNG NR. 31

Über die Quinte mit einem Grunddreiklang

ESERCIZIO XXXII

Sopra diversi movimenti di basso con un esempio di cadenza

EXERCISE NO. 32

Above different bass movements with an example of cadence

EXERCICE N° 32

Sur divers mouvements de la basse, avec un exemple de cadence

ÜBUNG NR. 32

Über verschiedene Bassbewegungen mit einem Beispiel für eine Kadenz

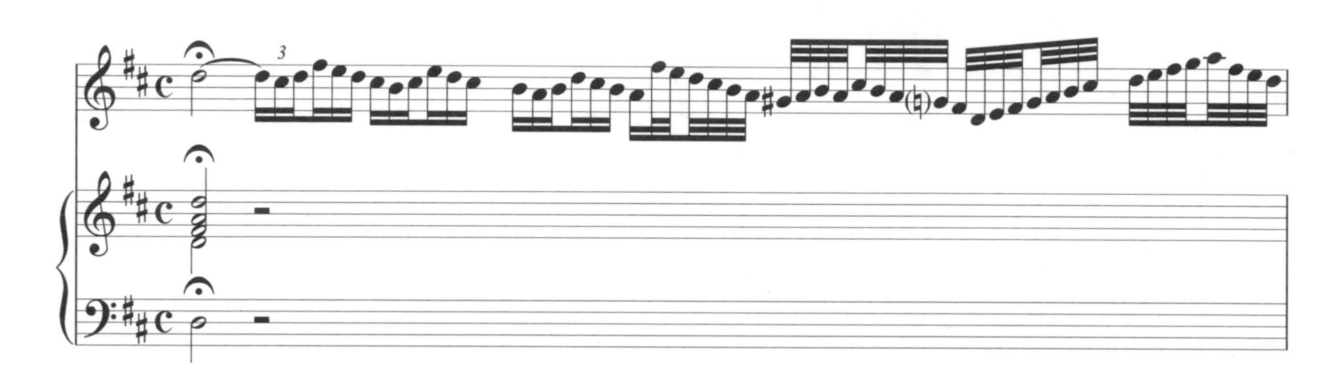

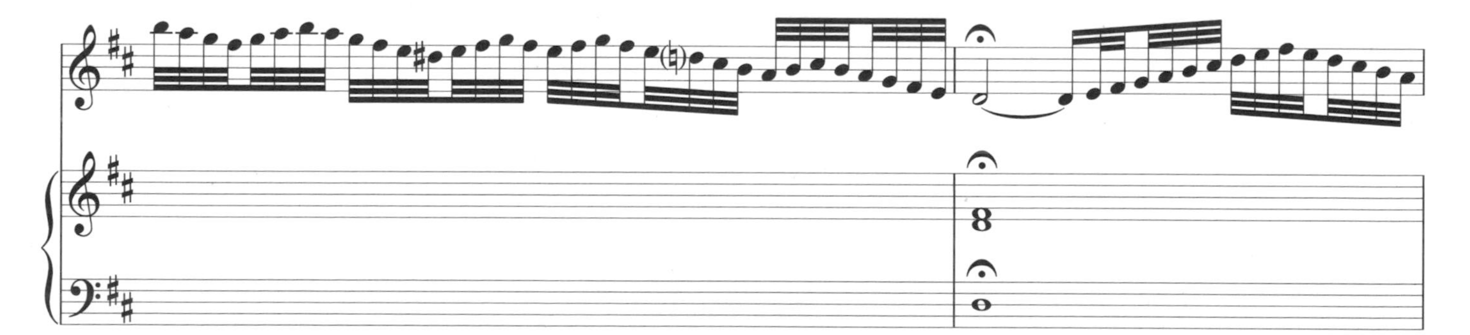

6

8

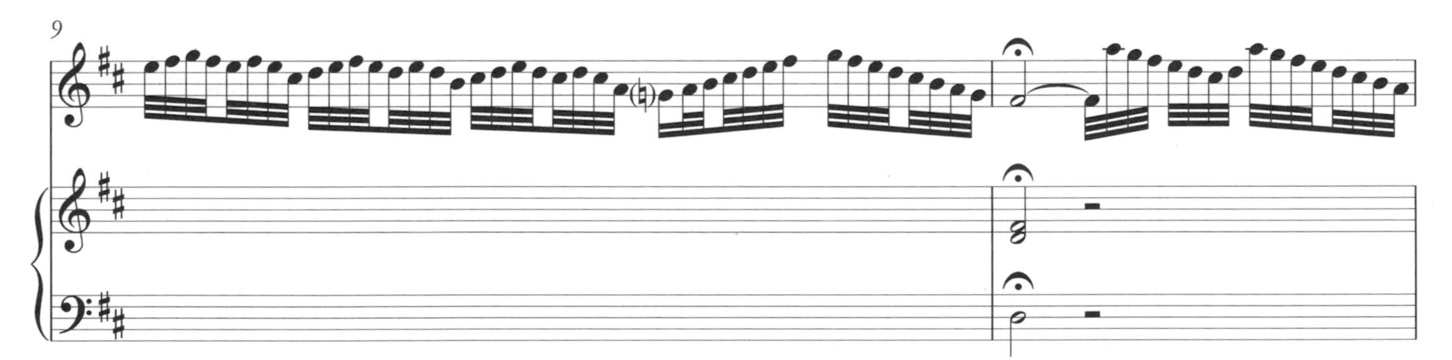
9

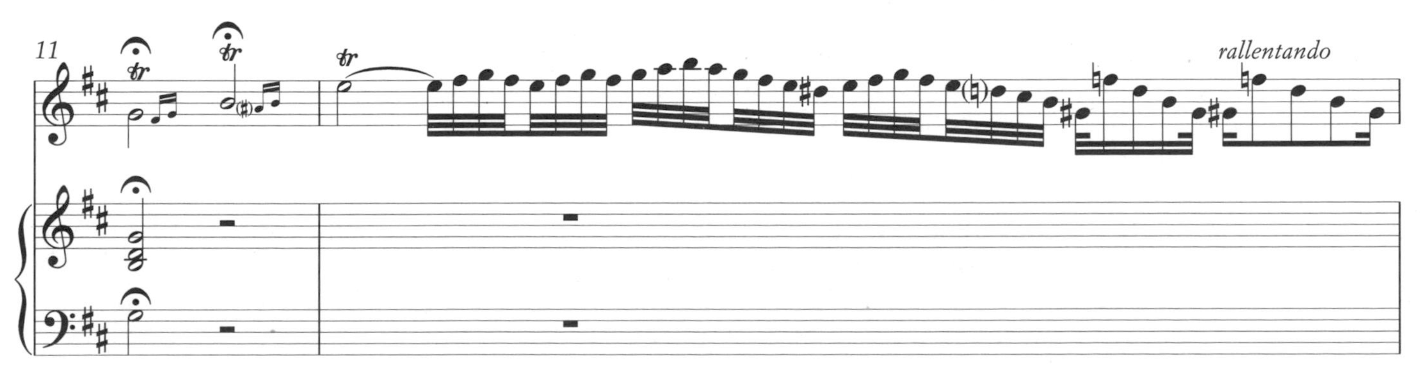
11
rallentando

*

Dal punto di riposo alla cadenza non vi è altra diversità, che il primo conviene che sia attaccato senza distrarsi dall'accordo. Nella cadenza poi si deve assolutamente abbandonare l'accordo di 4ª e 6ª per maggiormente abbellirla e impiegarne degl'altri per poi tornare all'accordo perfetto.

From the rest to the cadence, there is no other difference, as the former enables one to attack the latter without being distracted by the chord. One absolutely must abandon the 4th and 6th chords in the cadence in order to embellish this more and use others before returning to the perfect chord.

Entre le point d'orgue et la cadence, la seule différence est que le premier, il convient de l'attaquer sans se distraire de l'accord. Dans la cadence en revanche, pour l'orner davantage, on doit absolument abandonner l'accord de quarte et sixte et en utiliser d'autres, pour ensuite retourner à l'accord parfait.

Zwischen der Fermate und der Kadenz gibt es keinen anderen Unterschied, als dass die Fermate angegangen werden muss, ohne sich vom Akkord ablenken zu lassen. Bei der Kadenz hingegen sollte unbedingt der Akkord der 4. und 6. (Stufe) weggelassen werden, um sie noch viel schöner zu machen, und es sollten stattdessen andere benutzt werden, um dann wieder zum Grunddreiklang zurückzukehren.

Questo genere di punti di riposo, e cadenze essendo infinito hò creduto abbastanza darne un saggio per farlo ben comprendere e, lasciando allo studioso il pensiere di prenderne un regolamento, e crearne a suo piacere, e a seconda della propria abilità quante altre maniere gli piaceranno. Finisco il mio trattato non sapendo cosa più indicare per condurre lo studioso alla perfetta arte del canto. Raccomando solo di unire a questi esercizi i solfeggi di Leo, di Aprile, e infine per l'espressione, e la dolcezza quelli di La Barbiera [segue un'ultima riga di testo strappata alla fine del manoscritto che non è possibile riportare].

Since this type of pause and cadence occurs very frequently, I believe one example can suffice to explain them. I leave it up to students to make up rules for themselves and put them in as they please, and indeed introduce others, depending on their ability. I end my treatise, here, not knowing what else to say to help students perfect the art of singing. I merely recommend that they add Leo and Aprile's solfeggi to my exercises and also, to refine their expression and sweetness of tone, those by La Barbiera [A final line was torn from the bottom of the manuscript and so cannot be reproduced here].

Ce genre de points d'orgue et de cadences étant illimité, j'ai estimé suffisant d'en donner un aperçu pour le faire bien comprendre, laissant à l'élève le soin d'en tirer une règle, et d'en créer, à sa guise et selon sa propre habileté, autant d'autres variétés qu'il lui plaira. Je termine mon traité, ne sachant qu'indiquer de plus pour conduire l'élève à la parfaite manière de chanter. Je recommande seulement de joindre à ces exercices les solfèges de Leo, d'Aprile, et enfin, pour l'expression et la douceur, ceux de La Barbiera [suit, à la fin du manuscrit, une dernière ligne de texte déchirée, qu'il n'est pas possibile de restituer].

Da es unendich viele Arten von Fermaten und Kadenzen gibt, habe ich es für ausreichend gehalten, davon eine Auswahl zu geben, um sie gut verständlich zu machen und es dem Schüler zu überlassen, daraus eine Regel abzuleiten und ganz nach seinem Wunsch und nach Maßgabe seiner Kunstfertigkeit selbst andere zu erfinden, die ihm gefallen. Ich beende meinen Traktat, ohne zu wissen, was sonst noch anzuzeigen wäre, um den Schüler zur perfekten Kunst des Gesangs zu führen. Ich empfehle nur, zu diesen Übungen zusätzlich die Solfeggi von Leo und Aprile heranzuziehen, und zuletzt für den Ausdruck und die dolcezza jene von La Barbiera [es folgt eine letzte Textzeile am Ende des Manuskripts; das Papier ist hier eingerissen, so dass die Zeile nicht zu entziffern ist].